Kochanemu Sławkowi

z pozdrowieniami świątecznymi

A.

Gandia 24. 12. 2014

PASOS HACIA LA CIMA

Serie Superación, 12

ZIG ZIGLAR

PASOS HACIA LA CIMA

IBERONET, S. A.
MADRID, 1994

Título original: STEPS TO THE TOP
Versión española: Manuel Ravassa G., bajo licencia de Norma Editorial, S.A.

Edita: IBERONET, S.A.
C. Antonio Cavero, 43-C
28043 Madrid

I.S.B.N.: 84-88534-33-7
Depósito Legal: Z. 3143-94

Imprime: Talleres Editoriales Cometa, S.A.
Carretera de Castellón, Km. 3,400
50013 ZARAGOZA (Spagna)

Printed in Spain - Impreso en España

Agradecimientos

Es difícil dar las gracias al mundo entero —ni siquiera a mi país, los Estados Unidos— pero en muchos aspectos eso es lo que he tratado de hacer al escribir *Pasos hacia la cima.* Gracias, Estados Unidos de América, por darme la oportunidad, a través de la libertad y del sistema de libre empresa, de escribir este libro. Quiero darles las gracias a todos esos hombres, mujeres, muchachos y muchachas cuyas vidas adornan estas páginas y me han inspirado a mí y a cientos de miles que las han escuchado en mi programa radiofónico.

Sin embargo, les debo unas gracias especialísimas a cinco personas en particular. Comienzo con Jim Savage, el vicepresidente de la división de entrenamiento corporativo de la Corporación Zig Ziglar. Jim llevó a cabo un magnífico trabajo junto a mí, recogiendo y clasificando el material, y asimismo corrigiendo todos los errores gramaticales que insistían en agazaparse en el texto desafiando mis mejores esfuerzos. Las sugerencias muy específicas que hizo Jim con respecto a los ***Pasos de Acción*** fueron invaluables; gran parte del mérito de este libro le corresponde a él.

Mis agradecimientos a Stephen Douglas Williford, a Grady James Robinson y al Dr. Neil Gallagher por facilitarme algunas de las historias incluidas en *Pasos hacia la cima.* Sus investigaciones fueron básicas; su contribución era necesarísima, bienvenidísima, y será de enorme utilidad para los lectores.

Por último, gracias Laurie Downing, por sus esfuerzos incansables de mecanografía. Yo sé que a estas horas de la vida usted es experta en su trabajo; pero, sin embargo, su destreza nunca deja de asombrarme. Su insuperable espíritu de colaboración, más que su celeridad y exactitud en el procesador de palabras, desempeñó un papel preponderante en la redacción y publicación de este libro.

Les doy las gracias una vez más a todos los miembros de mi equipo de trabajo que aportaron sus luces. Extiendo las gracias y mi gratitud a toda mi familia, en especial a esa pelirroja, que ha sido mi esposa y mi vida durante treinta y siete años. Su amor e inspiración inagotables son la razón principal por la cual *Pasos hacia la cima* y mis demás esfuerzos han llegado a producir frutos.

Prólogo

Estoy convencido de que no hay persona sobre la tierra que no sufra de momentos de depresión. A mi juicio, la única forma de evitar esos momentos es trabajar para mantenerse de buen talante. *Pasos hacia la cima* fue escrito con ese propósito, con el convencimiento de que si cada cual utiliza unos minutos diariamente para generar pensamientos positivos, se logrará esa elevación de ánimo que se requiere para llegar a la cumbre. Mediante la lectura de una página se puede lograr un estímulo transitorio. La lectura de varias reglas para lograr el éxito puede proporcionar una base más sólida de estímulos. Finalmente, comprometerse en los ***Pasos de Acción*** traerá consigo efectos duraderos.

Sin embargo, se le puede sacar un mayor provecho a este libro compartiendo estas sugerencias con otros miembros de la familia y con los compañeros de trabajo. Aquel viejo dicho que reza: «El profesor aprende más que el alumno» es algo más que un mero dicho. Quienes dan desinteresadamente reciben mayor beneficio que quienes reciben. *Pasos hacia la cima* fue escrito no sólo para proporcionar la posibilidad de un mejoramiento personal, sino también con el objeto de enseñar a dar. Yo deseo estimular y retar a mis lectores para que compartan esta información.

Es deseable que el lector se sumerja en este libro. Debe leer varias páginas en las primeras horas de la mañana y retomarlo al caer la noche. Una vez terminado el libro, debe iniciarse su lectura nuevamente para lograr mayores beneficios.

Obviamente, no conozco la situación personal de cada uno de mis lectores, pero hay enormes probabilidades de que en este libro encuentren casos de personas que han pasado por situaciones muchísimo peores, pero que derrotaron sus dificultades debido a sus pensamientos, creencias y actuaciones. Esos mismos pensamientos, creencias y actuaciones pueden beneficiar a mis lectores enormemente. Por lo tanto, ¡a trabajar, a participar, a leer *Pasos hacia la cima,* y estoy seguro que los veré a todos allí!

CONTENIDOS PAG.

1.
Actitud...

El factor importante y decisivo en la vida no es lo que nos pueda ocurrir sino la actitud que asumimos ante lo que ocurra.

...e Inferioridad

Hay momentos en la vida durante los cuales nos sentimos desanimados y vacilantes. En efecto, el finado Dr. Maxwell Maltz escribió: «Por lo menos el noventa por ciento de las personas del mundo sufren de complejo de inferioridad». La razón por la cual el ser humano se siente inferior con respecto a su vida, su fisonomía, sus habilidades y destrezas se debe a que vivimos comparándonos con héroes y heroínas del mundo irreal de la televisión.

Toda quinceañera considera que «no vale nada», a menos que sus compañeros la vean como Brooke Shields.

Todo quinceañero piensa que no puede ser otra cosa que un injerto de Silvester Stallone y Colint Eastwood.

Todo padre piensa que tiene que convertirse en magnate financiero para que sus hijos lo acepten como padre.

El problema radica en que cometemos el error de compararnos con la demás gente. Uno es uno y no tiene por qué medirse con otros. Una persona no es superior ni inferior a otra. El Ser Supremo crea a cada uno de nosotros con un toque exclusivo y original. El éxito personal no se determina comparándonos con otros, sino comparando nuestros logros con nuestras capacidades. Una persona es «número uno» cuando hace lo mejor posible con aquello de que dispone diariamente.

Pasos de Acción

1. Hoy tomaré conciencia de que yo soy especial y único, y utilizaré mis talentos en vez de desear tener los de los demás.
2. Hoy yo ....

¿Por qué nos juzgamos a nosotros mismos por nuestros ideales y a los demás por sus actos?

...y aquello por lo que debo dar Gracias

Esta es una época maravillosa para vivir, porque, al fin y al cabo, «todo tiempo pasado» puede que no haya sido tan bueno. Toda generación ha afrontado su cuota de problemas. Algunas personas hoy en día tienden a enfatizar lo negativo y a olvidarse de lo positivo. Hace cien años, la expectativa de vida era tan sólo de cuarenta años; hoy podemos esperar sobrepasar los setenta y cuatro.

Hace unos años, la poliomielitis constituía el gran temor de toda madre cuando sus hijos salían a jugar durante los cálidos meses de verano. En 1984 tan sólo se registraron ochenta y seis casos en los Estados Unidos.

Hace cien años los hombres portaban revólveres al cinto, las facilidades sanitarias eran primitivas, los partos corrían grandes riesgos y el retrete quedaba detrás de la casa. Hoy en día, un mayor número de jóvenes asisten a las universidades, los servicios médicos han mejorado notablemente, y se están construyendo grandes cantidades de casas y apartamentos con todas las comodidades modernas.

Estoy realmente convencido de que algún día miraremos hacia atrás y diremos que los diez años más grandiosos de este siglo fueron los del decenio de los 80. Estamos viviendo una época maravillosa. Es una época propicia para vivir, trabajar y criar una familia. Este es el mejor «tiempo pasado».

Pasos de Acción

1. Hoy seré consciente de todo aquello por lo que debo dar gracias; estoy especialmente agradecido por las siguientes cinco cosas: a) b) c) d) e)
2. Hoy yo...

La felicidad no es una estación a la cual se llega, sino una forma de viajar.

...y Crítica

Davy Crockett tenía un lema muy sencillo: «Cercioraos de que tenéis la razón, y seguid adelante». Todos nosotros, lo mismo que toda persona de éxito, tenemos que afrontar momentos de crítica. No importa qué carrera se ejerza, cuanto más éxito se tiene, más críticas se reciben. Tan sólo quienes no intentan nada se mantendrán para siempre a salvo de la crítica.

La crítica no presenta problemas si se desarrolla una forma positiva de afrontarla. Winston Churchill tenía enmarcadas en su oficina las siguientes palabras de Abraham Lincoln: «Yo hago las cosas de la mejor forma posible, y no me voy a detener. Si al final salgo bien librado, lo que se diga en mi contra no tendrá importancia. Si estoy equivocado, el que diez ángeles digan que yo tenía razón no cambiará las cosas». Churchill fue blanco de muchas críticas durante su vida, lo mismo que Lincoln, como sucede con la mayoría de las figuras públicas hoy en día. Una persona necesita tener mucho valor para seguir adelante con aquello que honestamente considera correcto cuando tiene en su contra una jauría de críticos.

Es prudente recordar que toda el agua del mundo no hundirá un barco si no logra penetrar en él. Manténgase a flote. Cerciórese de que está procediendo correctamente y sosténgase en sus convicciones. De esa forma llegará a la cima.

Pasos de Acción

1. Hoy repetiré las palabras de Lincoln cuando reciba críticas, y me sobrepondré a mis críticos.
2. Hoy yo ....

No le tenga miedo a la oposición. Recuerde que las cometas no se elevan con el viento sino contra él.

Hamilton Mabie

... y Variedad

Todos habrán oído que nunca se debe cambiar un método de comprobado éxito. En términos generales, estoy de acuerdo con esta aseveración. Sin embargo, algunas veces se presenta la ocasión precisa para un cambio de receta en cualquier área de los negocios. Por ejemplo, las patatas fritas son un comestible tradicional en los Estados Unidos, hecho que no le impidió a Procter y Gamble lanzar al mercado «Pringles», un producto que desafiaba la tradición y abría todo un nuevo mercado.

En ciertas ocasiones, el ingrediente del éxito es el elemento sorpresa. Por ejemplo, Tom Landry, el entrenador de los Dallas Cowboys, tiene fama de prepararles sorpresas a sus contrincantes para los partidos de especial importancia. El es consciente de que sus rivales estarán preparados para contrarrestar las jugadas convencionales, de modo que a menudo los pilla por sorpresa con sus innovaciones.

¿Y usted qué opina? Medite a conciencia, y, si la situación lo justifica, cambie la receta. No olvide agregar ingredientes especiales, tales como optimismo, entusiasmo, cortesía y pensamientos positivos. Su nuevo enfoque podría ser la sorpresa que sorprenderá a la competencia con la guardia baja, ¡y le dará a usted la victoria!

Pasos de Acción

1. Hoy estaré al acecho de la oportunidad de ser innovador, y si la situación lo justifica, cambiaré la receta.
2. Hoy yo ....

Si deseas triunfar, debes abrir nuevos caminos en vez de recorrer las viejas rutas de los éxitos ajenos.

John D. Rockefeller, padre

... y Creer

Creer intensamente en una meta constituye una de las fuerzas más poderosas del mundo. Juana de Arco era una pastorcita de tan sólo doce años cuando desarrolló la creencia de que ella encabezaría el ejército francés en contra de Inglaterra. La intensidad de su creencia era avasalladora. Cumplidos los diecisiete años, se presentó ante el príncipe Carlos y le explicó su creencia; éste quedó tan convencido que le dio una armadura y le confió el mando de un ejército. Acto seguido, Juana de Arco le puso sitio triunfalmente a la fortaleza de Orleans, hasta entonces supuestamente inexpugnable.

Vale la pena repetirlo: Creer intensamente en una causa o meta constituye una de las fuerzas más poderosas del mundo. No importa cuáles sean las desventajas, o cuán insuperables parezcan las barreras: el hecho de creer determina que hay una forma de salir adelante. La armadura de esas creencias y metas puede tomar la forma de un estetoscopio, una máquina de escribir, o un micrófono. La espada puede ser la paciencia, la falta de egoísmo, o una actitud que no admita derrota.

Yo creo que el éxito lo logran personas comunes y corrientes con resolución extraordinaria. Nótese que no he dicho que sea tarea fácil. Logros que valen la pena en raras ocasiones lo son.

Pasos de Acción

1. Hoy intensificaré la fuerza más poderosa del mundo —mis creencias— mediante el examen de lo que yo considero importante en mi vida física, mental y espiritual.
2. Hoy yo ....

No cree quien no vive de acuerdo con sus creencias.

Thomas Fuller

... y Humor

Con la actitud apropiada y un toque de buen humor, cualquiera puede lograr lo mismo que llevó a cabo Mal Hancock, quien transformó la tragedia de una caída que lo dejó paralítico, en el éxito de una carrera artística de renombre nacional. Hancock se perfilaba como un atleta prometedor cuando cursaba el bachillerato, pero una caída le dejó paralítico de la cintura a los pies. Hubo de afrontar días desoladores mientras lograba acomodarse física y mentalmente a esta situación. No hay garantía alguna, como tuvo la oportunidad de averiguarlo Hancock, de que la vida será un jardín de rosas. Por el contrario, toda persona puede contar con que debe afrontar sucesos muy extraños; pero si logra encarar lo inesperado con humor y optimismo, saldrá triunfante. Mientras Mal estaba hospitalizado, comenzó a dibujar el mundo circundante. En vez de quejarse porque la enfermera le despertaba a las tres de la mañana para darle una pastilla para dormir, hizo una caricatura que ilustraba el asunto de forma cómica. Al poco tiempo todas las enfermeras pasaban por la habitación de Mal para ver cuál había sido su última ocurrencia.

No tardó mucho en vender una de sus caricaturas a una revista. Esa venta única fue la plataforma de lanzamiento de una exitosa carrera como caricaturista. Hoy, muchas caricaturas que aparecen en el *Saturday Evening Post* y en *T.V. Guide* llevan la firma del Mal Hancock. De paso, ustedes ya se habrán imaginado que su primer libro se tituló *Humor hospitalario.*

Mal Hancock aprendió una lección que puede serle útil a todo el mundo: Si no se puede hacer nada acerca de una situación (tal como estar paralizado), sí se puede hacer mucho acerca de nuestra actitud ante semejante situación.

Pasos de Acción

1. Hoy me reiré con los demás, lo más frecuentemente posible, acordándome de tomar en serio a mi familia y a mi trabajo, sin tomarme yo mismo demasiado en serio.
2. Hoy yo ....

Tal vez el hombre, ahora que ha remodelado su medio ambiente, dará media vuelta y comenzará a remodelarse él mismo.

Will Durant

... y Talento

Tilda Kemplen creció y todavía vive en las montañas agrestes del este de Tennessee. Asistió a una escuela de una sola aula hasta que terminó quinto de primaria, y repitió quinto porque no había escuela secundaria en la región. Más tarde, cuando trabajaba como cocinera en un colegio de la Misión Metodista, tomó la decisión de volver al colegio. Comenzó su bachillerato a los treinta y dos años, ya casada y con tres hijos pequeños, con un trabajo de cocinera y con la responsabilidad de todos los oficios hogareños. Se hizo bachiller cinco años más tarde. Posteriormente recibió su título universitario en educación preescolar.

Tilda deseaba ayudar a los niños de la región a evitar los problemas que ella había afrontado. Quería establecer un programa para ellos, pero no contaba ni con recursos ni con un edificio para tal efecto. Por tanto, comenzó a dar clases gratuitamente en los establos. Posteriormente, obtuvo recursos para montar un centro de desarrollo infantil, que les ha dado trabajo a más de seiscientas personas en una zona que tiene una tasa del veintiséis por ciento de desempleo. Tilda, quien recientemente recibió el Premio Jefferson por un servicio destacado a la comunidad, dice: «Todo el mundo tiene algún talento. Si yo lo puedo hacer, cualquiera puede hacerlo».

Lo anterior merece reflexión. Lo que determina qué logrará cada cual con su vida, no es la situación en que el individuo se encuentra, sino la manera de manejar dicha situación.

Pasos de Acción

1. Hoy dedicaré más tiempo a meditar sobre lo que tengo, en lugar de hacerlo sobre lo que no tengo.
2. Hoy yo..

Nuestro objetivo en la vida no es superar a los demás, sino más bien superarnos a nosotros mismos.

Stewart B. Johnson

... y la Deshonestidad

Una sección del Departamento de Justicia de los Estados Unidos recientemente dio a la luz pública el resultado de un estudio sobre la deshonestidad en el trabajo. James K. Stewart, director del Instituto Nacional de Justicia, dijo que el informe indica que los hurtos perpetrados por los empleados les están costando a las empresas norteamericanas ¡de cinco a *diez mil millones* de dólares *anuales*!

De mayor significación aún es el «hurto de tiempo» que se está presentando. El oficinista promedio está robando cuatro horas y dieciocho minutos a la semana llegando tarde, saliendo temprano, apropiándose de tiempo excesivo para tomar café o para almorzar, haciendo llamadas personales y otras cosas por el estilo. Muchos empleados abusan de las licencias por enfermedad o ingieren alcohol y barbitúricos durante las horas de trabajo.

El diccionario American Heritage define la palabra *honesto* como «absolutamente sincero; que tiene integridad, honorable; que no es mentiroso ni charlatán, no hace trampas, no se aprovecha injustamente».

No triunfa realmente quien triunfa deshonestamente. Winston Churchill dijo: «Es importante ser honesto, pero también es importante actuar correctamente». No es más «correcto» hurtarle tiempo al patrono que sustraer dinero de la caja. Es éste un axioma viejo y trillado, pero sigue siendo verdadero y correcto. Ser honesto no es simplemente la mejor política, es la *única* política.

Pasos de Acción

1. Hoy haré lo que es correcto, sin tener en cuenta lo difícil que pueda ser.
2. Hoy yo ....

Prefiere la pérdida a la riqueza proveniente de ganancia deshonesta; aquélla te mortificará durante algún tiempo; ésta te traerá remordimiento perpetuo.

Chilo

... y Seguidores

Las personas que tienen capacidad de liderazgo son sumamente necesarias; pero, según veremos, dicha capacidad no es siempre ventajosa:

S. I. McMillen cuenta en su libro *Ninguna de estas enfermedades*, la historia de una jovencita que deseaba ir a la universidad pero tuvo dudas al ver en la solicitud de ingreso esta pregunta: «¿Es usted un líder?» Por ser una persona honesta y responsable respondió negativamente, y envió su solicitud con pocas esperanzas.

Cuál sería su sorpresa al recibir la siguiente carta de la universidad: «Apreciada señorita: Un estudio de las solicitudes de admisión señala que nuestra universidad contará con 1542 nuevos líderes este año. ¡Usted ha sido aceptada porque consideramos que es imperativo que todos estos líderes cuenten con por lo menos *un* seguidor!».

«Es un pesar», dice McMillen, «que compitamos los unos contra los otros como en una carrera automovilística. En nuestro afán por ser los primeros, ignoramos el daño que les hacemos a los demás y nos hacemos nosotros mismos».

En cierta ocasión, un hombre le pedía a Dios: «Señor, líbrame de volverme tan engreído que me vea obligado a emitir mi opinión sobre lo divino y lo humano. Ciertamente *da pesar* no utilizar toda la gama de mis profundos conocimientos; pero, Señor, tú sabes mejor que nadie, al fin de cuentas prefiero tener algunos amigos».

Una forma de convertirse en líder es estudiar el comportamiento de los líderes y *seguir* su ejemplo.

Pasos de Acción

1. Hoy *seguiré* el ejemplo de buenos líderes de tal manera que cuando se presente la oportunidad de dirigir, yo estaré preparado.
2. Hoy yo ....

Quien no ha servido no puede dirigir.

John Florio

... y la Persuasión

Un estudio reciente que se llevó a cabo en la Universidad de Yale reveló algo que todo buen vendedor conoce desde hace tiempo. Después de analizar durante varias semanas la estampa, la personalidad y la actitud de todos los participantes y su capacidad de influir en los demás, los profesores de Yale descubrieron que la *sonrisa* constituye la fuerza de influencia sencilla más poderosa que posee el hombre. Esta es una buena noticia, pues una sonrisa puede dispensarse en cualquier momento.

Sin embargo, tan sólo una sonrisa no basta para influir en los demás para que actúen. Es necesario transmitir el mensaje en forma entendible y convincente. Si de vender se trata, los comunicadores sostienen que el mensaje debe repetirse tres veces, de forma tal que la repetición pase inadvertida. Vale la pena recalcar que el mensaje debe repetirse por los menos tres veces para que quede claro. La repetición es la madre del aprendizaje, y constituye un instrumento poderoso.

Finalmente, debe tenerse en cuenta que hay un tercer factor para influir en los demás, que es igualmente sencillo y que la mayoría de nosotros conoce desde hace tiempo. Este factor es la sinceridad y la honestidad. No creo que se necesite de un estudio universitario para convencernos de que la sinceridad y la honestidad son importantes.

Una sonrisa cálida y amistosa, con una muestra de sinceridad y honestidad, y un mensaje con persistencia resultan ser una combinación difícil de superar, ya sea para vender un producto, solicitar un empleo o tratar de ganar un puesto en la junta directiva de una entidad.

Pasos de Acción

1. Hoy le brindaré una sonrisa sincera a *todo* el que tenga contacto conmigo.
2. Hoy combinaré la persistencia con la honestidad, y triunfaré.
3. Hoy yo ....

Tan sólo lograrás que los demás sean mejores siendo bueno tú mismo.

Hugh R. Haweis

... y las Limitaciones

Sus profesores lo tildaron de «lerdo, lento y poco práctico», y hubo de retirarse de la universidad. A pesar de este comienzo poco favorable, antes de cumplir los veinte años había patentado el motor rotatorio de vapor. Su siguiente invento, una máquina para encarrilar trenes descarrilados fue adquirida por casi todas las compañías ferroviarias de los Estados Unidos. Antes de que su vida creativa tocase a su fin, este hombre había patentado cerca de cuatrocientos inventos, creando de paso un imperio industrial que pocos han igualado.

Aunque quedó confinado a una silla de ruedas al final de su vida, siguió inventando, movilizándose en ella para supervisar sus diversos proyectos. Murió rodeado de los bosquejos de su postrer proyecto, el diseño de una silla de ruedas motorizada.

Este hombre supuestamente «lerdo y poco práctico» se llamaba George Westinghouse. Rehusó aceptar las opiniones negativas que tenían quienes le rodeaban y se convirtió en uno de los hombres más ricos y creativos de la edad moderna. Espero que cada cual decida creer en sí mismo y se esfuerce por lograr sus metas aunque los demás emitan opiniones negativas acerca de sus habilidades.

Pasos de Acción

1. Hoy rehusaré aceptar comentarios negativos y limitantes.
2. Hoy yo ....

La genialidad es un uno por ciento inspiración y un noventa y nueve por ciento transpiración.

Thomas A. Edison

... y los Retos

Tom Dempsey logró un gol a 58 metros de distancia para su equipo, los Saints de Nueva Orleáns. Es uno de los goles que han pasado a la historia del fútbol norteamericano. Ese hecho es de por sí admirable, pero lo que es todavía más sorprendente es que Tom Dempsey disparó ese gol con un pie deforme. Tom nació con el pie derecho sin dedos.

Tom sostiene que sus padres fueron quienes le ayudaron a superar este impedimento. «Yo tuve suerte», relata Tom. «Mis padres no me limitaron a causa de mi problema. Cuando debía realizar pruebas físicas, *jamás se les ocurrió decirme que yo no podía.* Me enseñaron que mi problema conllevaba un reto y no una excusa, de modo que cualquier cosa que me propuse de pequeño, la llevé a cabo». Toda persona que enfrenta los retos de la vida con la actitud de «creo que puedo» tal como lo hizo Tom Dempsey, tendrá una ventaja enorme sobre todos los que le tienen temor al fracaso. «La Pequeña Locomotora que sí Pudo» es un clásico infantil escrito por Wally Piper, acerca de una pequeña locomotora azul, a la cual se le pidió en una emergencia que arrastrara un tren de carga al otro lado de una montaña. La locomotora jamás había hecho semejante recorrido, pero pensó y creyó que sí podía hacerlo y por tanto lo logró. Todos padecemos de algún tipo de impedimento. Pero la falta de dedos en un pie no le impidió a Tom Dempsey hacer cientos de goles, incluyendo uno de características históricas. Es de esperar que cada cual mire sus impedimentos y problemas como retos y no como excusas.

Pasos de Acción

1. Hoy solo utilizaré refuerzos personales positivos; tomaré como lema la frase de la pequeña locomotora: «Yo creo que puedo».
2. Hoy yo ....

Cuando el hombre le pone un límite a lo que hará, le está poniendo un límite a lo que puede hacer.

Charles M. Schwab

... y la Juventud

Yo estoy orgulloso de la juventud norteamericana. Creo que es el recurso más valioso que posee el país. La editorial de *Quién es quién entre los bachilleres norteamericanos* realizó en 1980 una encuesta para celebrar sus diez años de existencia para establecer las actitudes y valores de los líderes estudiantiles norteamericanos. Fueron entrevistados veintitrés mil estudiantes de bachillerato sobresalientes. El resultado es muy halagüeño, y por eso a continuación transcribo algunas de sus opiniones:

El setenta por ciento tenía metas profesionales definidas.

El setenta y cuatro por ciento estaba en desacuerdo con la legalización de la marihuana.

El noventa y dos por ciento no consumía marihuana.

El setenta y ocho por ciento no había tenido relaciones sexuales prematrimoniales.

El ochenta y seis por ciento era miembro de alguna religión organizada.

El setenta y cinco por ciento consideraba que la religión desempeñaba un papel importante en su vida.

El ochenta y cinco por ciento prefería el matrimonio tradicional.

Estas son algunas de las respuestas de los jóvenes escogidos como estudiantes sobresalientes de los Estados Unidos. No es difícil entender por qué estos estudiantes están inscritos en el *Quién es quién*. Evitando la marihuana ejercen un completo control de sus facultades y no tienen por qué preocuparse porque puedan matar a alguna persona mientras conducen el automóvil bajo los efectos de un barbitúrico. La fe les da tranquilidad espiritual. Absteniéndose de relaciones sexuales prematrimoniales eliminan la posibilidad de contraer alguna enfermedad venérea o de quedar en estado de gravidez no deseado. En resumen, estos jóvenes pueden dedicarse a ser buenos estudiantes, a madurar, y a fijarse metas para toda la vida.

Estos estudiantes piensan por sí mismos, tienen una imagen de sí mismos sumamente saludable, y una imagen clarísima de lo que quieren de la vida. El que estos muchachos puedan manifestar claramente «He aquí quién soy, y deseo esto de la vida» ilustra vívidamente parte de esa saludable imagen que tienen de sí mismos.

Pasos de Acción

1. Hoy me daré el tiempo necesario para meditar acerca de «quién soy» y «hacia dónde voy».
2. Hoy yo ....

El que se respeta a sí mismo está a salvo de los demás; lleva una armadura que nadie puede traspasar.

Henry Wadsworth Longfellow

... y el Progreso

Era el enfermizo y el flacucho de la clase. Usaba gafas gruesas, tenía zapatos ortopédicos y llevaba un soporte en el hombro. Se sentía tran cohibido acerca de su apariencia que se retiró del colegio.

Su futuro era sombrío. Pero un día asistió a una conferencia sobre la salud y decidió que su vida futura tenía que ser distinta a la pasada. De modo que comenzó a hacer ejercicio dos horas al día y modificó sus hasta entonces malos hábitos alimentarios. Lentamente cambió su apariencia física, su forma de verse a sí mismo y de paso su futuro. El cambio fue tan grande que pudo darse el lujo de abrir uno de los primeros centros de salud física en los Estados Unidos. Comenzó una campaña puerta a puerta en Oakland, California, para promover su nueva empresa.

Lleva cuarenta y siete años promoviendo el ejercicio físico, y su fama ha desbordado las fronteras nacionales. Muchos lo han bautizado el «Padre del Ejercicio». Hoy en día es dueño de un gimnasio privado y conduce un automóvil de ochenta mil dólares. Le atribuye su éxito a su habilidad para cambiar el curso de su vida cuando era un quinceañero. Su nombre es Jack LaLanne.

Jack LaLanne es el primero en admitir que cambiar el rumbo de su vida no fue fácil. Esos cambios no son fáciles para nadie; pero, ciertamente, el futuro de una persona puede ser distinto al pasado. Tal cambio depende de uno mismo.

Pasos de Acción

1. Hoy me haré cargo de mi propio destino.
2. Hoy yo ....

El hombre tiene que vivir consigo mismo; por tanto, debe asegurarse de estar siempre en buena compañía.

Charles Evans Hughes

... y Detalles

En la ruleta de la vida, con frecuencia son las cosas menudas y no las grandes las que determinan el éxito o el fracaso, la felicidad o la tristeza. Si el reloj se atrasa cuatro horas nos tiene sin cuidado, pues de inmediato sabemos que está estropeado y tomamos las medidas necesarias. Cosa distinta sucede cuando el reloj se atrasa cuatro minutos.

En mi caso, si mi reloj está atrasado cuatro minutos, por lo general no me doy cuenta. Como quiera que yo viajo frecuentemente por avión, el atraso de mi reloj, aunque sea de unos minutos, puede ser desastroso, pues podría llegar a las 2:34 a tomar el vuelo de las 2:30. (He llegado a un acuerdo con las compañías aéreas para que los aviones despeguen cuando estén listos para partir si yo no he llegado. ¡Recientemente pude comprobar en Dallas que las aerolíneas están cumpliendo estrictamente nuestro acuerdo!) También he descubierto que es más fácil tomar un avión *antes* de que haya despegado.

Las cosas menudas modifican las circunstancias. Si usted le dice a una mujer que es una gatita, lo adorará. Dígale que es un tigre y verá la diferencia. Insinúele que ella es del otro mundo y estará encantada, pero dígale que es un espectro y ¡tendrá problemas!

Definitivamente, ¡los pequeños detalles sí varían grandemente las circunstancias! Hágase cargo de los «pequeños detalles» y verá que los «detalles grandes» se manejan por sí solos.

Pasos de Acción

1. Hoy tendré una frase agradable para aquellas personas que no tienen nada que ofrecerme.
2. Hoy yo ....

Cuando eres bueno con los demás eres magnífico contigo mismo.

Dr. Louis L. Mann

... y Coherencia

Es importante ser coherente en la disciplina, ya se refiera al castigo, la recreación o los valores. Al psicológo cristiano Henry Brandt le preguntaron si debía obligarse a los niños a asistir a la iglesia. Brandt respondió afirmativamente. Señala que cuando un niño está enfermo se le lleva al médico, quiera o no quiera, puesto que es conveniente para él. Por la misma razón, se le lleva a la iglesia.

«¿Le causa esto sorpresa? ¿Por qué? ¿Qué se le dice a un niño de diez años cuando va a desayunar y anuncia que no piensa regresar a la escuela? ¿Qué sucede cuando asegura que no se bañará? Termina bajo la ducha, ¿no es verdad?

«Entonces, ¿a qué se debe la timidez cuando se trata de una formación espiritual? ¿Será que se debe esperar a que tenga la suficiente edad para que él decida por sí mismo a qué iglesia desea pertenecer? ¡No se engañe! Los padres no esperan a que el hijo tenga la suficiente edad para que decida si va a andar por el mundo sucio o aseado. Tampoco debaten si ya es lo suficientemente maduro para decidir si ingiere o no una medicina cuando está enfermo. Por lo tanto, ¿qué se le debe decir al muchacho cuando manifiesta que a él no le gusta ir a la iglesia? La respuesta es sencilla: Simple y llanamente, *sea coherente*».

La coherencia en el ejercicio de la patria potestad y el dar buen ejemplo es importante ya se trate de imponer castigos o tareas, realizar actividades recreativas o inculcar valores. El psicólogo James Dobson lo expresa de la siguiente forma: «Los valores no se aprenden, se aprehenden».

Pasos de Acción

1. Hoy seré coherente en mi trato con los demás.
2. Hoy yo ....

Todos los niños nacen buenos.

Lord Palmerston

... y las Preocupaciones

¿Se preocupa usted mucho? Los norteamericanos están tomando más que nunca gran cantidad de píldoras para olvidarse de una mayor cantidad de tonterías. ¿Por qué dejar que la preocupación se convierta en su enemigo? Debe tenerse en cuenta que *la preocupación nos puede destruir.* Según el Dr. Charles Mayo, «Las preocupaciones afectan a la circulación y a todo el sistema nervioso. No he conocido al primer hombre que se haya muerto por exceso de trabajo, en cambio sí conocí a muchos que murieron por la duda».

Los psicólogos señalan que el cuarenta por ciento de nuestras preocupaciones *jamás sucederán* y que el treinta por ciento *ya han sucedido.* Un doce por ciento adicional de nuestras preocupaciones responde a inquietudes de salud que no tienen fundamento alguno; otro diez por ciento equivale a preocupaciones diversas que no conducen a nada. Según mis cálculos matemáticos, tan sólo queda un saldo de ocho por ciento. En otras palabras, los estudiosos del tema han descubierto que los norteamericanos gastan un noventa y dos por ciento de su tiempo preocupándose sin razón alguna. Y si el Dr. Charles Mayo tiene razón, esas preocupaciones los están matando.

Por eso formulo la siguiente sugerencia: No vale la pena preocuparse de las cosas que no se pueden cambiar. Es mejor *utilizar* esa energía de forma positiva y productiva. Si uno no está satisfecho con su suerte, nada gana con preocuparse y estar de mal humor; debe proceder a modificarla. El lema debe ser: Menos preocupación y más acción, porque las preocupaciones al igual que una silla mecedora, no lo llevan a uno a ninguna parte.

Pasos de Acción

1. Hoy elaboraré la lista de mis diez preocupaciones más enormes para compararlas con el análisis del Dr. Mayo.
2. Hoy yo ....

Preocuparse es adorar a un falso dios.

Jack Exum

... y la Luz del Sol

Las Industrias Worthington fueron fundadas hace veintiocho años por un individuo llamado John McConnell. La compañía ha tenido un crecimiento fenomenal; Worthington tiene ingresos de quinientos millones de dólares en la actualidad.

McConnell ha tenido tanto éxito que frecuentemente recibe visitas de otros ejecutivos que vienen a averiguar su secreto. El asevera que su manual de funcionamiento se puede resumir en una sola Regla de Oro: «Trata a los demás como quisieras que te trataran a ti».

Bien dice McConnell: «Nosotros somos una compañía de una sola regla de Oro. Esta es la única forma en que todos podemos vivir armoniosamente. Los problemas desaparecen en la medida en que somos capaces de ver las cosas desde el punto de vista de los demás, aunque esto es a veces difícil». Esta sencilla filosofía ha hecho de Worthington un éxito gigantesco. Mientras muchos accionistas en la actualidad están vendiendo sus intereses en la industria del acero, a los accionistas de Worthington no se les ha ocurrido semejante cosa.

Yo celebro la filosofía de McConnell. Creo que es la filosofía personal y de negocios más sólida que ser humando alguno puede poseer. Estoy convencido de que todos podemos lograr lo que queremos si les ayudamos suficientemente a los demás a conseguir lo que *ellos* quieren.

Pasos de Acción

1. Hoy me comportaré con mi familia, mis socios y los extraños como quisiera que ellos se comportaran conmigo.
2. Hoy yo ....

Quienes traen la luz a la vida de sus semejantes jamás estarán en las tinieblas.

James M. Barrie

... y Esperanza

El médico estaba equivocado, pero Harry Perry estaba todavía más equivocado. Le dijeron que se estaba muriendo de leucemia, de modo que «tiró la toalla» y se dedicó a comportarse como si su vida ya se hubiese acabado. Se retiró de su trabajo, rechazó el matrimonio, hizo cuantiosos gastos en tratamientos, se dedicó a beber en exceso, y llevaba una existencia solitaria. Su vida era un vacío, aunque no estaba muerto y, en realidad, ni siquiera se estaba muriendo.

Un examen médico realizado cinco años después del diagnóstico inicial, mostró que Harry no tenía la enfermedad. Entonces Harry se casó, compró casa, y suspendió todo tratamiento. Se siente magníficamente bien.

Lo único que ha cambiado realmente es la *actitud* de Harry. Cuando pensó que se estaba muriendo, decidió tomar un rumbo auto-destructivo. Cuando se dio cuenta de que no padecía la terrible enfermedad, decidió vivir plenamente y realizar todos sus sueños. La tragedia radica en que siempre había tenido todos los recursos potenciales para lograr el éxito y la felicidad; simplemente dejó de utilizarlos. Todos los tenemos, lo único que hay que hacer es utilizarlos. Espero que éste no llegue a ser el epitafio de persona alguna: «Nació en 1950. Murió en 1986. Sepultado en 1999».

Pasos de Acción

1. Hoy me acordaré que «nací para triunfar»; mi actitud reflejará mi confianza.
2. Hoy yo ....

Suceda lo que suceda, jamás pierda los dos recursos más importantes de la vida: la esperanza y la fe.

... y Honestidad

En cierta ocasión John Morley viajó de Inglaterra al Canadá para dirigirles la palabra a los graduandos de una universidad. Comenzó su disertación diciendo: «He recorrido casi ocho mil kilómetros para decirles que existe una diferencia entre el bien y el mal».

Si un hombre tiene una casa que vale doscientos mil dólares y termina en la cárcel por hacer trampa en su declaración de renta, este individuo no sabe distinguir entre el bien y el mal. Cosa parecida sucede con el cónyuge que promete ser fiel y rompe su compromiso. Los padres que les dicen a sus hijos que digan que ellos no están en casa cuando toque a la puerta un cobrador, no saben distinguir entre lo correcto y lo incorrecto. Nos encontramos en situaciones similares cuando un hijo se compromete a utilizar el vehículo familiar tan sólo para ir al colegio y volver, y rompe su promesa, o cuando la hija miente en cuanto al lugar donde estuvo con su novio.

El Dr. Mortimer Feinberg, autor de *Bigamia empresarial*, entrevistó a cien altos ejecutivos pertenecientes a compañías que se encuentran entre las quinientas más importantes de los Estados Unidos. Todos coincidieron en decir que una persona tiene que ser tonta para pensar que puede llegar a la cúspide y mantenerse allí sin ser honesta. Dicha aseveración es contundente y *además* certera.

Edificar toda una vida sobre los principios de honestidad y franqueza implica saber hacer la diferenciación entre el bien y el mal.

Pasos de Acción

1. Hoy haré lo que considere que es correcto, sin tener en cuenta las dificultades que me pueda traer a corto plazo.
2. Hoy yo ....

Ningún individuo tiene el derecho a decidir qué ley se obedecerá y qué ley se impondrá a la fuerza.

Herbert Hoover

... y Valor

Bloquear cuatro pases en cinco juegos es consagratorio para un defensa de fútbol americano. Esta hazaña realizada por Randy Waters es asombrosa. Pero además Randy tiene un control de pelota magnífico, y es uno de los mejores jugadores de tenis de su colegio en dobles y sencillos. Y aunque dedica gran cantidad de su tiempo a las actividades deportivas también sobresale en las labores académicas.

Si termináramos esta anédcota en donde va, no dejaría de ser bueno, pero resulta que apenas está comenzando, o mejor dicho Randy apenas está empezando; piensa, además, seguir una carrera deportiva universitaria.

Lo sorprendente de todo esto es lo siguiente: Hace cuatro años, según nos cuenta Randy, «una máquina de moler carne me atrapó la manga de la camisa y después siguió conmigo. En adelante, mi vida se convirtió en una batalla permanente. Durante algún tiempo lo único que deseaba era la muerte. Tina Sherrill y Bobby Rich, el entrenador del colegio secundario en el condado de Lumpkin en el estado de Georgia, me dieron la oportunidad de seguir jugando al fútbol». Sólo queda por contar que Randy hace todas estas cosas con un brazo, una mano y una actitud tremendamente positiva. El hace caso omiso de lo que perdió; se concentra en lo que *tiene*, y se propone utilizarlo al máximo. Esta actitud convierte a Randy en triunfador, al igual que a cualquiera que decida actuar de igual manera.

Pasos de Acción

1. Hoy les contaré a dos personas la historia de Randy Waters para que les sirva de inspiración y a mí de recordatorio.
2. Hoy yo ....

El valor es la cualidad humana primordial porque es la que garantiza todas las demás.

Sir Winston Churchill

... e Influencia

«Transigimos demasiado en nuestras negociaciones con los rusos y los chinos».

Yo escuchaba con interés porque tanto la voz como las palabras me eran familiares, mientras el orador explicaba que tanto los chinos como los rusos nos habían dejado «fritos» en la mesa de negociaciones. Resulta que se trataba de un diálogo que sostuvo mi hijo de catorce años con su vecino, durante un viaje aéreo que hicimos recientemente.

Yo me sentía ciertamente satisfecho al ver que mi hijo estaba interesado en asuntos internacionales, y me deleitó oírle citar los puntos de vista de su padre. Pero un momento después, el significado de todo esto me causó un desasosiego profundo: la responsabilidad que tenemos como padres de familia es tremenda, puesto que nuestros hijos con frecuencia son una imagen de nosotros. En efecto, nosotros somos los modelos para ellos; siguen nuestros pasos. En muchas ocasiones, nuestros valores morales resultan ser los valores morales de ellos.

Nuestros hijos se vuelven reproducciones en miniatura de nosotros. De manera que el padre debe preguntarse: ¿Soy digno de imitación? El padre debe estar seguro de poder mirar hacia atrás y decir con orgullo: «Mi hijo ha seguido mis pasos». Eso espero, puesto que nuestros hijos son el futuro de la humanidad.

Pasos de Acción

1. Hoy tomaré conciencia de la responsabilidad que tengo que darles buen ejemplo a mis congéneres.
2. Hoy yo ....

Yo no sé quién fue mi abuelo; me interesa mucho más saber quién será su nieto.

Abraham Lincoln

... y Vibraciones Cálidas

Es posible que ustedes hayan escuchado el término *realimentación positiva* (algunas personas jóvenes utilizan la expresión *vibraciones cálidas*). El nombre que se le dé es lo de menos, lo importante es que cada cual ponga de su parte para diseminar sentimientos positivos a donde quiera que vaya. Cada cual debe felicitar por hábito a su familia, a sus compañeros de trabajo y a sus amigos por una labor bien hecha. Las situaciones aparentemente negativas deben escudriñarse con objeto de encontrar sus facetas positivas dignas de mención. Esto exige mucho esfuerzo e ingenio; pero cuando se dan sinceras felicitaciones y se manifiesta sincero aprecio por las habilidades de alguien, la recompensa justificará el esfuerzo.

He descubierto que la mejor manera de mantener una actitud saludable y feliz hacia la vida diaria se logra ayudándoles a los demás a hacer lo mismo. En el momento que yo *doy* realimentación positiva, me *devuelven* «vibraciones cálidas». Cada vez que yo felicito *sinceramente* a alguien por un trabajo bien hecho, mi alma se colma de un cálido sentimiento de bienestar. De modo que cuando uno nota que no ha recogido realimentación positiva durante el día, cabe preguntarse si uno mismo la ha dado.

Pasos de Acción

1. Hoy felicitaré sinceramente a mis amigos, compañeros de trabajo y familiares por el desempeño de sus diversas actividades. En especial, deseo buscar algo positivo que decir sobre ...., ... y ....
2. Hoy yo ....

La forma óptima de desacomplejar a alguien es darle una palmadita en la espalda.

... Esa Pequeña Distinción

La mayoría de nosotros jamás tendrá la oportunidad de reclamar uno de esos premios de renombre internacional —el Nobel, el Pulitzer, el Oscar, el Emmy— con los cuales son distinguidos pocos mortales. Por ejemplo, teóricamente cualquier niño nacido hoy en día en una nación democrática tiene la oportunidad de llegar a ser presidente. Pero la realidad nos indica que dicho premio eludirá a la mayoría.

Todos nosotros, sin embargo, somos elegibles para gozar de todos esos pequeños placeres de la vida. Cualquiera puede conservar el recuerdo de una palmadita en la espalda, un abrazo, un beso, una trucha de cuatro kilos, una luna llena, o un espacio libre para estacionar ¡junto a la puerta del sitio a donde desea ir! Esos pequeños placeres pueden incluir un leño chisporroteante en la chimenea luminosa, un café, una sopa caliente, o un bello atardecer. Hay placeres «sencillos» todavía más grandes a disposición del ser humano: la oportunidad de disfrutar de la libertad de viajar, de votar por quien nos plazca, o de alabar a Dios en la Iglesia que elijamos. Debemos estar agradecidos de estas cosas y de otras miles, porque todas ellas son una fuente constante de placeres.

Agradezca si la vida le brinda sus mayores premios, pero no sufra si éstos pasan de largo. Goce de los pequeños placeres que nos depara la vida. Los héroes de ayer son los olvidados de hoy; los premios grandes de la vida son eventos singulares que pronto se olvidan. El presente puede que no esté colmado de grandes placeres, pero puede estar lleno de pequeñas satisfacciones. Basta con que abra los ojos y mire a su alrededor.

Pasos de Acción

1. Hoy gozaré de las «pequeñas victorias» y de los pequeños placeres reconociendo la felicidad que traen consigo.
2. Hoy yo ....

Si continuamente das lo mejor de ti mismo, no te sucederá lo peor.

B.C. Forbes

... y la Cárcel

¿Será posible que ex presidiarios puedan convertirse en personas de negocios exitosas? Sí lo creo, y para muestra un botón: Larry Wells, director del programa *Expedición Engrandecimiento.*

Para la mayoría de nosotros una sentencia a quince años de cárcel sería un estigma imborrable. Pero Larry Wells mostró ser un hombre de gran resolución y profunda fe en el poder de la actitud positiva frente a la negativa.

Larry estuvo recluido durante quince años en la cárcel del Estado de Idaho cumpliendo una condena por robo a mano armada. A él le sucedió una cosa muy sencilla que modificó toda su vida, y de paso la de cientos de otros jóvenes como él. Los padres de Larry jamás lo abandonaron. Le enviaron el libro de James Allen titulado *Cómo piensa un hombre,* obra que le causó una impresión profunda. Después de leerlo se convenció de que el ser humano es exactamente lo que piensa que es. Desde aquel día, Larry abandonó los pensamientos «destructivos» y se dedicó a pensar positivamente.

En la actualidad Larry dirige *Expedición Engrandecimiento,* un programa dedicado a inculcar en los jóvenes una forma positiva de valorarse. Larry Wells ha demostrado que mediante el cambio en la forma de pensar es posible cambiar la forma de vivir. Dicha actitud es valedera para todo el mundo al igual que lo fuera para Larry Wells.

Pasos de Acción

1. Hoy tendré en cuenta el adagio que reza «El hombre es aquello que lleva en su corazón» ¡y me aferraré a los buenos pensamientos que llevo en el corazón y en la mente!
2. Hoy yo ....

Nada es bueno o malo; es la mente la que lo vuelve así.
Shakespeare

... y la Ley

La aplicación de la ley no es cosa fácil, pero de vez en cuando se presentan situaciones graciosas que hacen más llevadera la vida de un agente de tránsito.

Si usted lleva muchos años conduciendo es posible que en alguna ocasión haya excedido los límites de velocidad máxima establecidos y haya tenido que escuchar la bocina o la sirena de la autoridad, instándolo a detenerse. Y si usted es parecido al resto de la humanidad, habrá tratado de tener la excusa perfecta a flor de labios, como el atolondrado señor de Missouri que le dijo al agente de tráfico: «Yo sólo estaba tratando de mantenerme junto a los coches que venían detrás». O como la dama que tuvo un pequeño accidente y dijo: «Iba para mi casa, me metí en una entrada ajena y choqué contra un árbol que no tengo». Otro hombre dijo una vez: «Conduje durante cuarenta años, y finalmente me quedé dormido y fui a dar en la cuneta».

Algunos motoristas despliegan un verdadero ingenio para tratar de librarse de la multa inevitable, pero por lo general llevan todas las de perder. Un agente muy imaginativo le quita el veneno a la multa expidiendo tan sólo «multas de cortesía», lo cual quiere decir que el agente es muy cortés cuando las entrega. Aprovecho esta oportunidad para agradecerles a los agentes de tráfico, pues la mayoría es muy comprensiva y lleva a cabo una magnífica labor.

Pasos de Acción

1. Hoy le daré las gracias a un policía (en persona, por correo, o por carta) por su dedicación al servicio de la comunidad.
2. Hoy yo ....

Dondequiera que se acaba la ley comienza la tiranía.

John Locke

... y Pensamientos Destructivos

Los negocios nunca son buenos o malos en el «mercado libre». Lo son en la mente de cada cual. Hace muchos años, cuando asistí como conferenciante a una Asamblea de Corredores de Propiedades Inmobiliarias en Flint, Michigan, me encontré dialogando placenteramente con un vendedor hasta que cometí el error de preguntarle cómo se perfilaba su negocio. Yo estaba esperando escuchar un planteamiento lleno de entusiasmo, y recibí en cambio una larga disertación sobre el pésimo clima de los negocios debido a la huelga de la General Motors. Mi interlocutor señaló que la gente estaba contando hasta el último centavo y tan sólo compraba lo estrictamente necesario. ¡Su actitud era tan pesimista que hubiera contagiado incluso al santo Job!

Alguien lo distrajo un momento, y yo rápidamente me volví hacia una pequeña dama que estaba sentada a mi derecha, y le dije: «¿Qué tal? ¿Cómo van las cosas?» Ella me respondió: «¿Sabía usted, Sr. Ziglar, que la General Motors está en huelga?» Yo me dije: «¡Bendita suerte; otra vez el mismo disco!». Acto seguido la dama me ofreció una bella sonrisa y procedió a contarme todas las ventajas que dicha huelga le brindaba a su negocio. Terminó su charla preguntándome si yo tenía influencias en Washington. Al inquirir el por qué de dicha pregunta, me respondió: «¡Si logro que esta huelga dure otras seis semanas, no tendré que trabajar durante el resto del año!».

Mientras una persona se estaba arruinando debido a la huelga, otra se estaba enriqueciendo por la misma causa. ¿A qué se debía esto? ¡A la actitud! Los pensamientos destructivos no tienen cabida ni en la vida ni en los negocios de nadie.

Pasos de Acción

1. Hoy eliminaré todo pensamiento destructivo y buscaré todo cuanto hay de bueno en cada situación.
2. Hoy yo ....

Existen oportunidades ilimitadas en cualquier negocio. Donde quiera que haya una mente abierta, siempre habrá una frontera.

Charles F. Kettering

... y el Ingenio

Cuando pensamos en el éxito, frecuentemente nos vienen a la mente Henry Ford y su línea de producción, o J.C. Penney y su cadena de almacenes de ventas al por menor. Ciertamente, estos hombres probaron las mieles del éxito rotundo y vivieron lo que se ha dado en llamar el Sueño Americano. Pero también hay cientos de miles que viven su propio sueño de una forma muy distinta.

Dennis Koepsell buscó la oportunidad de combinar su pasión por las ventas y su interés por la historia de las antigüedades. El no tenía idea de lo que realmente estaba buscando hasta que encontró una antigua y destartalada máquina de hacer palomitas de maíz. Dennis vio en esa máquina algo que cualquier otro mortal no hubiera captado.

Después de meses de meticulosa restauración, Dennis logró poner la máquina a funcionar. Entonces se dedicó a vender palomitas de maíz a la antigua, durante los acontecimientos importantes en su ciudad natal. Al poco tiempo compró dos máquinas adicionales. En la actualidad, Dennis Koepsell es el «Rey de las Palomitas de Maíz» en la ciudad de Milwaukee, y es dueño de seis aparatos que pronto serán diez.

Eso se denomina ingenio americano. Es el Sueño Americano. Existe la posibilidad de que muchas personas sean tan listas como Dennis Koepsell. La diferencia puede radicar en que Dennis se mantuvo alerta y se dio cuenta de que las oportunidades frecuentemente vienen disfrazadas de trabajo duro y sostenido.

Pasos de Acción

1. Hoy estaré al acecho de las oportunidades que me rodean.
2. Hoy yo ....

Necesitamos hombres que sueñen con lo que jamás ha existido.

John F. Kennedy

... y Comparaciones

Yo soy un orgulloso padre de familia, y por tanto he participado vivamente en charlas de amigos y familiares respecto del progreso de nuestros pequeños. Sin embargo, parece que cada vez que se discute el progreso de los niños, las comparaciones con otros son inevitables. James Dobson señala que la mayoría de nosotros centra sus comparaciones en dos áreas: el área de la apariencia física y el área de la inteligencia. Dobson sostiene que dichas comparaciones pueden causarles a los niños serios problemas de identidad. Tales comparaciones pueden llevar a un niño a pensar que es un ser humano inferior porque no se parece a la persona que figura en la tapa de la revista que está de moda o no tiene un cociente intelectual altísimo.

¡Pero toda persona es importante! Nadie puede brindarle a ese padre o madre, a ese marido o esposa, a ese hermano o hermana, la misma felicidad y placer que trae el querer a alguien *por ser quien es*. Cada cual es único y especial, y le presta una contribución específica a la humanidad. No hay por qué hacer comparaciones; sólo para cultivar las cualidades únicas que cada cual posee.

Pasos de Acción

1. Hoy yo creeré en mí mismo y no compararé mis peores características con las mejores de otro.
2. Hoy yo ....

Mirar hacia abajo produce vértigo.

Robert Browning

... y Capacidad

Yo creo que el hombre fue creado para realizarse, está hecho para el éxito; y está dotado de semillas de grandeza. Eso lo incluye a *usted.* Usted es una persona valiosa capaz de lograr grandes cosas.

Sin embargo, si usted ha escuchado toda la vida que no tiene condiciones, hay gran probabilidad de que se lo crea. Si a usted constantemente se le ha dicho que tiene que recibir la aprobación de los demás, se dedicará a tratar de obtenerla. Si a diario le dicen que usted es un mediocre, terminará por creerlo. Lo anterior, mi estimado amigo, se denomina mentalidad de basurero y puede resultar desastrosa. Por ejemplo, el evangelista Bill Blass halló, durante su apostolado en las cárceles, que los padres del noventa por ciento de los reclusos ¡pronosticaban constantemente que éstos terminarían en la cárcel!

En su libro titulado *En serio, la vida es algo risueño,* Tom Mullen cuenta que una quinceañera llamada Amy siempre lograba las mejores notas. Sus padres se contrariaron muchísimo cuando ella desmejoró un poquito. En un aparte de la nota postrera dirigida a sus padres, Amy dice para justificar su suicidio: «Si yo fracaso en lo que hago, fracaso en lo que soy». Aquello que se graba en nuestra mente influye finalmente en nuestro comportamiento.

Tristemente, el caso de Amy se repite con bastante frecuencia, el número de suicidios de adolescentes se ha triplicado durante el último decenio en los Estados Unidos, y se han registrado más de treinta muertes *diarias.* A los estadounidenses les han dicho mucha basura. Lo importante en la vida está dado por lo que cada cual es y no por lo que hace o posee. No es deshonroso fracasar; lo vergonzoso está en negarse a intentar.

Usted es capaz de grandes logros. Si utiliza la habilidad que tiene, obtendrá otras habilidades igualmente utilizables.

Pasos de Acción

1. Hoy utilizaré lo que tengo para realizar lo que pueda.
2. Hoy yo ....

Ten cuidado de tus pensamientos: pueden brotar como palabras en cualquier momento.

... y Palabras

El verbo que puede definir su éxito en la vida tiene tan sólo cinco letras: poder. El verbo *poder* es una de las palabras más poderosas del idioma. En efecto, como quizás usted sepa, hemos desarrollado todo un curso denominado *Yo Puedo*, con objeto de recalcar el poder de creer en nuestras propias habilidades para lograr las metas que nos hemos propuesto.

Por paradoja, anteponer la palabra *no* a *puedo* significa la diferencia entre el éxito alcanzado y el fracaso. Algunos historiadores sostienen que en los Estados Unidos se lograron importantes realizaciones a pesar de las tres palabras *no se puede.* He aquí unos ejemplos sacados directamente de la prensa:

- Cualquier persona que llegase a viajar a una velocidad de cincuenta y seis kilómetros por hora indudablemente se asfixiaría (1840).

- Ninguna combinación podría amalgamarse en una máquina práctica que le permitiese al hombre volar (1901).

- La idea tonta de llegar a la luna es básicamente imposible (1926).

- Es imposible emplear la energía que se encuentra atrapada en la materia (1930).

Me alegro de que hombres como Edison y los hermanos Wright no hayan aceptado las palabras *no se puede.* Todos debemos sustituir el *no se puede* por *se puede.* Tan solo hay dos letras de diferencia, pero pueden cambiar el rumbo de una vida.

Pasos de Acción

1. Hoy eliminaré las palabras *no puedo* de mi vocabulario y sustituiré las palabras *no quiero* y *no sé cómo* por *yo puedo.*
2. Hoy yo ....

Las palabras, al igual que los anteojos, oscurecen lo que no aclaran.

Joseph Joubert

... e Imposibilidades

Yo vivo continuamente asombrado por las habilidades de los atletas que cada año corren más rápido, saltan más alto, y ejecutan proezas físicas con mayor precisión. Leemos a diario acerca de jóvenes atletas que rompen una barrera.

La barrera atlética más famosa era correr la milla en menos de cuatro minutos. Durante muchos años, los expertos creyeron que dicha hazaña era imposible. Pero en 1954 un hombre llamado Roger Bannister lo logró. Hoy en día, muchachos de colegio y un hombre de treinta y siete años también han logrado esta hazaña.

Hubo un tiempo en que se creyó imposible realizar un salto largo de ocho metros con cincuenta, pero Bob Beamon llevó a cabo una de las proezas atléticas más increíbles de nuestro tiempo al saltar casi nueve metros. Nadia Comaneci rompió la barrera de la puntuación máxima en los Juegos Olímpicos de 1976, y en la actualidad varias jovencitas han logrado diez puntos en las competiciones de gimnasia.

¿No es sorprendente que apenas una persona rompe la barrera poco tiempo después otras también lo hacen? Con frecuencia las únicas limitaciones que existen son las que nosotros mismos nos imponemos. Una vez que se comprende claramente que las «barreras» son limitaciones mentales y no imposibilidades físicas, las posibilidades de mejorar resultados y romper marcas se incrementan notoriamente. En verdad, cuando *nos damos cuenta* de que algo se puede hacer, podemos estar seguros de que *se hará.*

Pasos de Acción

1. Hoy me desharé de toda limitación siendo consciente de que aunque otros me puedan atajar momentáneamente, yo soy el único que me puede frenar permanentemente.
2. Hoy yo ....

Imposible es una palabra que sólo se encuentra en el diccionario de los necios.

Napoleón Bonaparte

... y los Ingredientes Ganadores

¿Cuál es el ingrediente de mayor importancia que los entrenadores desean hallar en jóvenes deportistas? Cada primavera los entrenadores provenientes de las universidades pasan largas horas dialogando con los deportistas de los colegios. Recientemente, le preguntaron a uno de los entrenadores más conocidos: «¿Cuál es el ingrediente ganador que usted busca en un atleta?».

Respondió sin dudar un segundo: «Estamos buscando jóvenes que se dejen entrenar».

Los entrenadores de éxito saben de sobra que para tener un equipo triunfador no basta con que los individuos tengan habilidades físicas. La experiencia les indica que los jugadores deben estar dispuestos a aceptar críticas constructivas e instrucción, con objeto de que puedan armonizar con los demás y convertirse en equipo.

Cada uno de nosotros debe estar dispuesto a aceptar críticas y a escuchar los consejos de los expertos. No importa cuán competentes nos consideremos en nuestro trabajo, siempre hay posibilidad de mejorar.

¿Es usted una persona dispuesta a recibir entrenamiento? ¿Sería usted candidato a formar parte de un equipo que va a competir en un campeonato?

¿Comprende usted cabalmente que cada una de las personas de la nómina de una compañía desempeña un papel importante en el éxito de la misma? Para lograr ser un campeón en un equipo que participa en un campeonato, se requiere estar abierto a los consejos y dispuesto a recibir entrenamiento.

Pasos de Acción

1. Hoy buscaré estrellas de campeonato para que me sirvan de guías y consejeros.
2. Hoy yo ....

Quien anda con sabios llegará a ser sabio.

Proverbios, 13:20

... Incidentes Insignificantes

Con frecuencia la oportunidad se presenta como resultado de descubrimientos accidentales. Por ejemplo, la primera alarma detectora de humo fue inventada a raíz de un incidente insignificante en un laboratorio. Mientras Duane Pearsall ensayaba un aparato electrónico para controlar electricidad estática se percató de que el humo del cigarrillo que se estaba fumando un técnico alteró el medidor del dispositivo. Inicialmente, Pearsall se irritó porque se vio obligado a suspender el experimento y volver a instalar el medidor. Posteriormente, se dio cuenta de que los efectos del humo sobre el medidor podrían ser una información valiosísima. Ese pequeño y al parecer insignificante accidente condujo a Pearsall a producir el primer sistema de alarma detector de humo fabricado en los Estados Unidos, sistema que ha salvado miles de vidas.

El éxito puede llegar de diversas formas. A veces es el resultado de lo que parece ser un accidente. Todos debemos acostumbrarnos a buscar oportunidades, a dejar que la mente se despliegue. Las oportunidades están por doquier y con frecuencia al alcance de la mano.

Pasos de Acción

1. Hoy escudriñaré por segunda vez todos esos incidentes aparentemente insignificantes que realmente son oportunidades que se presentan a mi alrededor.
2. Hoy yo ....

Muchos hacen de las oportunidades lo que los niños hacen en la playa: llenan sus manecitas de arena y luego dejan que los granos caigan uno a uno, hasta que todos han desaparecido.

... y Pequeñas Labores

Esta cita tomada de *Selecciones del Reader's Digest* es muy ilustrativa: «El que piensa que es muy importante para realizar pequeñas labores posiblemente es demasiado pequeño para realizar grandes empresas».

Muchísimos jóvenes tienen la poco realista expectativa de lograr en el primer intento el trabajo perfecto que realizarán toda la vida, lucrativo, satisfactorio, lleno de retos y con «futuro». Esta clase de divagación mental puede resultar desastrosa. En la mayoría de los casos, el primer empleo simplemente no puede satisfacer todas esas expectativas. El empleo ideal por lo general se le ofrece a la persona que está desempeñando una buena labor en un cargo que no es el ideal.

De modo que mi consejo para los jóvenes es que acepten el primer cargo que les ofrezcan, si éste no es deshonesto y no compromete valores morales como obligarles a vender tóxicos, o comerciar con pornografía. Entonces deben dar lo mejor de sí mismos. De ahí en adelante, pueden progresar hacia arriba o hacia afuera en la búsqueda de ese empleo con futuro. De modo que adelante, y después de mucha persistencia, trabajo abnegado y una actitud positiva, ¡lo veré en la cima!

Pasos de Acción

1. Hoy llevaré a cabo todas mis actividades con el entusiasmo que normalmente se emplea en proyectos de gran trascendencia.
2. Hoy yo ....

La persona que despide vibraciones entusiastas por su jefe rara vez es despedido por éste.

... y la Edad

Usted habrá oído en numerosas ocasiones la aseveración de que este mundo es para los jóvenes —y un rápido análisis histórico demuestra que tal aseveración tiene una considerable validez. Por ejemplo, Charles Lindbergh a los veinticinco años fue el primer hombre en sobrevolar el Atlántico sin escalas hasta París; John Paul Jones llegó a ser capitán de navío a los veintitrés; Napoleón era capitán de artillería antes de los veintitrés; Edgar Allan Poe era un poeta de renombre internacional a los dieciocho; Tracy Austin ganó el campeonato de tenis abierto de los Estados Unidos a los dieciséis; Alejandro Magno había conquistado el mundo entonces conocido, a los veintiséis; Eli Whitney tenía veintiocho años cuando perfeccionó la máquina desmotadora de algodón. Con frecuencia se relatan historias de niños prodigio de cinco años que resuelven ecuaciones matemáticas que dejan perplejos a profesores universitarios. La lista de personas que han logrado cosas notables antes de cumplir los treinta años es verdaderamente interminable.

Lo anterior prueba a las claras que este mundo es de la gente joven. ¿O no? ¡Desde luego que no! Yo probaré que el mundo también es de los viejos y hasta de los de edad madura. En efecto, el mundo es de usted, sin que importe su edad. Siga leyendo y convénzase.

El comodoro Cyrus Vanderbilt no llegó a ser un verdadero magnate ferroviario hasta que cumplió setenta años; a los ochenta y ocho era el empresario ferroviario más activo de su época. Sócrates se dedicó a aprender música a los ochenta; Pasteur descubrió la cura para la hidrofobia cuando tenía sesenta años; Colón tenía más de cincuenta años cuando hizo su primer viaje a América; tanto Voltaire como Newton, Spencer, Talleyrand y Tomás Jefferson eran activos y estaban en la plenitud de sus capacidades intelectuales cumplidos los ochenta. Galileo descubrió las fases diarias y mensuales de la luna cuando tenía setenta y tres años. La lista es interminable.

Lo que esto quiere decir es que el mundo es de todos los que reconozcan que éste es el momento y éste el lugar para llegar a la cúspide.

Pasos de Acción

1. Hoy me daré cuenta de que la edad no es una barrera sino una ventaja.
2. Hoy yo ....

Para mí, la vejez es siempre quince años mayor que yo.
Bernard M. Baruch

... y Entusiasmo

El entusiasmo instantáneo está disponible. Si usted desea desarrollar entusiasmo al instante, ¡simplemente altere la forma de levantarse de la cama por las mañanas! Esto no quiere decir que deba levantarse de espaldas, sino que no debe comenzar protestando por el nuevo día.

Tengo una noticia buena y otra mala acerca de esto. Comencemos con la mala: Usted va a sentirse como un imbécil siguiendo el procedimiento que a continuación describiré. La buena noticia es que gozará más de la vida, y posiblemente producirá más dinero. Puede que no le lleguen jugosos cheques por el correo de inmediato, pero ganará más siendo más productivo, y en corto tiempo recibirá los beneficios.

He aquí lo que tiene que hacer: Mañana apenas suene el «reloj de la oportunidad» (las personas negativas lo llaman «reloj despertador»), siéntese en la cama, aplauda y diga: «¡Bravo, es un día magnífico para salir a sacar ventaja de las oportunidades que el mundo nos ofrece!» Claro está que es posible que se sienta y se vea algo ridículo, pues probablemente estará desgreñado y medio dormido, ¡pero estará levantado, que es lo que usted deseaba cuando conectó el reloj de la oportunidad! Es posible que termine riéndose de sí mismo, pero la risa es una buena seña del entusiasmo, y reírse de sí mismo indica que existe una saludable imagen de sí mismo. Habrá resultados garantizados. ¡Ensaye este procedimiento durante veintiún días y lo veré en la cima!

Pasos de Acción

1. Hoy me levantaré con entusiasmo, aplaudiendo y diciendo: «¡Bravo, es un buen día para salir a sacar ventaja de las oportunidades que el mundo nos ofrece!»
2. Hoy yo ....

El entusiasmo es uno de los mayores activos que hay en el mundo. Es superior al dinero, al poder y a la influencia.

Henry Chester

... y la Televisión

¿Será que las personas toman en serio lo que ven en la televisión? La respuesta es afirmativa. Por ejemplo, hace algunos años en el programa «El Filo de la Noche», dos de los protagonistas se casaron. Los detalles del matrimonio fueron tan reales y completos que se recibieron 576 regalos de boda enviados por la teleaudiencia. Algunos eran insignificantes, pero otros eran realmente costosos.

No hace mucho tiempo durante una reunión para orar, una asistente pidió que se rezara especialmente por una amiga de ella. Posteriormente se supo que esta «amiga especial» era un personaje de una telenovela. En mi opinión, la fantasía, que se representa en forma tan real en la televisión, puede conllevar serios problemas. Estos programas no sólo consumen tiempo, sino que la fantasía aleja a la persona de la realidad de construir su propia vida.

Hágase usted mismo esta prueba: ¿Cuánto se disgusta usted cuando una visita inesperada llega en la mitad de su programa o telenovela favoritos? Si se disgusta muchísimo, quiere decir que está demasiado metido en ese mundo imaginario y muy alejado del mundo real. Lo anterior merece meditación. Desde mi perspectiva, estoy convencido de que es *imposible* ver telenovelas diariamente y mantener una actitud optimista y moral acerca de la vida.

Pasos de Acción

1. Hoy controlaré mi propia vida y no permitiré que la televisión ejerza en mí control alguno.
2. Hoy yo ....

La templanza es moderación en el goce de las cosas buenas y total abstinencia de las cosas viles.

Francis E. Willard

... la Luz Verde

Para producir entusiasmo, busque la luz verde. He aquí lo que quiero decir: En nuestra sociedad negativa, la mayoría de la gente habla de luz roja, días de reposo, y resfriados. Mi amigo y hermano Bernie Lofchichk, oriundo de Winnipeg, Canadá, utiliza un vocabulario diferente. El nunca tiene un «res-frío»; eso es negativo. Claro está que de vez en cuando tiene un «res-caliente». Para él no existen los días de reposo, tan solo de «alborozo». En las vías nunca encuentra una luz roja, siempre luz verde.

Una buena forma de generar entusiasmo es utilizar un vocabulario positivo. Para ser justo, considero que podemos sobrevivir sin utilizar vocabulario positivo, pero yo no estoy hablando de la mera supervivencia. Me estoy refiriendo al entusiasmo por la vida y a la diversión que se puede obtener mientras se construye un mejor futuro.

Dicho sea de paso, este enfoque es realista y práctico. Las luces verdes permiten que el tránsito fluya con mayor rapidez y seguridad. Los sábados y domingos son días de reposo, con objeto de poder comenzar la semana llenos de «alborozo». Cuando nos sube la «temperatura» «entramos en calor». Déjese entusiasmar y comience a hablar de luces verdes, de días «febriles» y de «días de alborozo». Este diálogo hará sonreír a mucha gente y generará entusiasmo para todos. ¡Haga el ensayo, le gustará!

Pasos de Acción

1. Hoy traeré a colación las luces verdes durante algún diálogo, y haré sonreír a la gente.
2. Hoy yo ....

Jamás se ha logrado algo importante sin entusiasmo.

... y Usted

Will Rogers no pronunció palabra durante diez años.

Para muchos, esto será una gran sorpresa; pero la verdad es que Will Rogers, según algunos el filósofo humorista popular más importante de esta centuria, no dijo una sola palabra desde el escenario durante los diez primeros años de su carrera profesional. Will Rogers era un vaquero que tenía gran destreza en el manejo del lazo, con el cual hacía maravillas. Durante un decenio logró montar un espectáculo maravilloso utilizando el lazo, pero jamás pronunció una palabra. Cierta vez se presentó una situación inesperada durante el curso de su espectáculo, y Will hizo algún comentario. El público respondió, y así se dio a conocer el filósofo humorista que había dentro de Will.

Tal vez uno de sus pensamientos más importantes es éste: «Si deseas triunfar en la vida debes conocer a fondo lo que haces, creer es lo que haces y amar lo que haces». Esta sí es una fórmula maravillosa para que cualquiera triunfe.

¿Usted domina lo que hace, cree en lo que hace y ama lo que hace? ¡Si la respuesta es afirmativa usted va aceleradamente hacia la cúspide!

Pasos de Acción

1. Hoy me tomaré tiempo para analizar qué beneficios personales me reportan mis actividades —cuánto conozco lo que hago, cuánto creo en ello y cuánto lo amo.
2. Hoy yo ....

El premio de una labor bien realizada es haberla realizado.

Ralph Waldo Emerson

... y Energía

En la mayoría de las circunstancias, el cansancio físico que manifiestan las personas no está relacionado con un problema de carácter físico; se trata de agotamiento mental, también conocido como «mentalidad de basurero». Para muestra un botón, muestra que va más dirigida a los hombres que a las mujeres:

El día ha resultado ser uno de «ésos» en que todo lo que puede salir mal ha salido mal. Las frustraciones se han amontonado una sobre otra. Al final del día, la pobre víctima llega a su casa prácticamente a gatas, sin pizca de aliento.

La esposa lo recibe desbordante de alegría y buen humor, y le manifiesta su satisfacción por el hecho de que ha llegado a casa a tiempo para cumplir «su promesa». El pobre pregunta: «¿Qué promesa?» A lo cual la esposa responde que la promesa que hizo seis semanas antes, de limpiar el garaje. El marido manifiesta que está rendido como para acometer semejante tarea. La esposa le ofrece ayuda, pero él dice que no puede ni levantar un dedo.

En ese preciso momento suena el teléfono y una voz masculina dice: «Hola, socio, tengo turno reservado en el club para dentro de quince minutos. Si nos apuramos alcanzamos a jugar los nuevos hoyos». Como por encanto, todo el cansancio desaparece, y el medio-muerto de hace un minuto está dispuesto a llegar al club en diez minutos.

El ejemplo citado se presenta de diversas formas un millón de veces al día. La razón es sencilla: cuando uno refuerza el cansancio aceptando que está cansado, agota las reservas de energía todavía más. Basta con visualizar lo mucho que uno se va a divertir llevando a cabo determinada actividad para sorprenderse de la cantidad de energía de que dispone.

Pasos de Acción

1. Hoy, cada vez que me pregunten cómo me va, responderé: «¡Muy bien, pero espero mejorar!».
2. Hoy yo ....

Una hoguera no puede encenderse con rescoldos extinguidos, así como tampoco puede despertarse el entusiasmo en hombres faltos de espíritu. El entusiasmo en nuestra labor diaria hace más llevadero el esfuerzo y convierte hasta el trabajo físico en labor placentera.

James Mark Baldwin

... y Desilusión

¿Cómo reacciona usted ante la desilusión? Cuando Edgar pidió por correo un curso de fotografía, esperaba ansioso todos los días la llegada del cartero. Por fin vino el cartero con un paquete. Cuando abrió el paquete se llevó una desilusión tremenda, y hasta se disgustó, pues le habían enviado un curso de ventriloquía. ¡Se puso realmete furioso!

Edgar decidió empaquetar y devolver el libro inmediatamente. Pero, pensándolo bien, se propuso ver qué podía hacer con el libro, ya que lo tenía en las manos. El apellido de Edgar era Bergen, un ventrílocuo de fama mundial, quien creó dos personajes igualmente famosos, el uno llamado Charlie McCarthy y el otro Mortimer Snerd. Este hombre iluminó la vida de muchísima gente con su buen humor exento de vulgaridad, y de paso llegó a ser tremendamente próspero.

Edgar Bergen tomó una idea sencilla, como quien dice un limón, y lo transformó en limonada. Si se busca lo bueno, algo bueno resultará de cualquier situación.

Pasos de Acción

1. Hoy convertiré la primera desilusión del día en la oportunidad de convertir un limón en limonada.
2. Hoy yo ....

La forma en que pienses después de una pérdida determinará cuánto tiempo transcurrirá antes de que ganes.

David Schwartz

... y Ascensores

Estábamos viajando por los Estados del Este y llegamos a la ciudad de Washington. Como es obvio, quisimos visitar el monumento a Washington, pero cuando nos acercamos alcanzamos a oír al guía que habría una espera de dos horas para subir en ascensor hasta la cúspide del monumento. Sin embargo, una sonrisa le iluminó el rostro mientras decía: «Claro está que los que quieran utilizar las escaleras no tienen por qué esperar».

¡Qué aseveración tan cierta! Es aplicable no sólo a la subida del monumento a Washington, sino —lo que es más importante— al viaje hasta la cumbre en el juego de la vida. Pero para ser más exactos, el ascensor para llegar al éxito no sólo lleva sobrecupo, sino que está permanentemente fuera de servicio, no hay viajes gratis. Toda persona en su carrera ascendente tiene que tomar las escaleras. Si usted está dispuesto a subir esas escaleras una a una, entonces puedo decirle con certeza: «¡A *usted* lo veré en la cima!».

Pasos de Acción

1. Hoy recordaré que no hay «almuerzo gratis», y que si voy a llegar a la cumbre, se deberá a mi trabajo tesonero.
2. Hoy yo ....

No es posible ayudar a los hombres de forma duradera haciendo por ellos las cosas que ellos deben y pueden hacer por sí mismos.

Edward Everett Hale

... y Ser Despedido

Hace algunos años, mientras cenaba con mi familia en uno de los mejores restaurantes de Dallas, se acercó uno de los camareros a servir el agua. Desde luego, la palabra «servir» no describe correctamente la acción en este caso concreto, pues el joven se dedicó más bien a regar el agua en la mesa. No me cupo la menor duda de que el muchacho estaba descontento, de modo que le dije: «¿No es verdad que a usted no le gusta su oficio?» El joven me respondió altaneramente: «¡No! ¡No me gusta!» Le dije: «Pues no se preocupe, que no lo tendrá por mucho tiempo».

Algo sorprendido me preguntó qué quería decir yo con eso. Le expliqué que con esa actitud, la gerencia del restaurante no se podía permitir el lujo de tenerlo a él como empleado, ¡aunque *él* decidiera pagarle a *ella*! Afortunadamente, el muchacho dio un viraje de 180 grados.

La actitud es de gran importancia, independientemente de la actividad que se realiza. Si la persona mantiene una actitud adecuada realizará con mayor eficiencia la labor que se le ha encomendado. Actuando con mayor eficiencia, la persona será de mayor valor para sí misma y para su empleador. Esa es la forma de conservar el empleo y, por carambola, lograr un aumento.

Pasos de Acción

1. Hoy haré más de lo que me pagan por hacer, pues yo sé que si hago más de lo que me pagan por hacer, me pagarán más por lo que hago.
2. Hoy yo ....

La función más grandiosa del hombre es el trabajo. El hombre no es nada, no puede hacer nada, lograr nada, cumplir nada sin trabajar.

J.M. Cowan

... Ganancia versus Pérdida

Mi buen amigo el orador Denis Waitley explica que el delantero *ganador* que se prepara a cobrar una pena máxima durante un partido, que puede significar ganar la copa del campeonato, se dice a sí mismo: «Si anoto el gol, ganamos la copa y mil dólares cada uno». Por el contrario, el delantero *perdedor* se dice: «Si no anoto el gol, vamos a perder la copa, y cada uno de nosotros dejará de ganar mil dólares». He ahí la diferencia. Los ganadores, según Waitley, se concentran en lo que quieren lograr mientras que los perdedores se concentran en lo que no desean y como dice el dicho, «al que no quiere caldo se le dan dos tazas».

Es indudable que la mayor fuerza destructora en nuestras vidas está dada por la utilización negativa de nuestra imaginación. La mayoría de la gente tiende a visualizar aquello que no quiere, como por ejemplo un dolor de cabeza, un catarro, no acertar el número de la lotería, y hasta no encontrar un sitio para estacionar el vehículo. Los perdedores piensan en términos de falta o pérdida; en cambio, dice Waitley, los ganadores piensan en el éxito y en ganar.

Como dice el viejo refrán: «Ya pienses que puedes o que no puedes, estás en lo cierto».

Pasos de Acción

1. Hoy me dedicaré a pensar como un ganador, concentrándome en lo que quiero lograr y pensando en el éxito y en ganar.
2. Hoy yo ....

El que teme ser vencido puede contar con que sufrirá la derrota.

Napoleón Bonaparte

... y un ingreso de Seis Cifras

Mi buen amigo Wilbert Eichenberger, director ejecutivo del Instituto para el Liderazgo Eclesiástico Efectivo, cita a Howard Kreshner cuando éste habla del libre mercado. El señor Kreshner señala que el ingreso de los sesenta ejecutivos más importantes de la General Morts equivale a US $2.30 por cada camión o vehículo que esta empresa produce. Realmente, es un costo muy modesto que la empresa paga por la experiencia, el buen juicio y la energía de estos ejecutivos.

He utilizado este ejemplo porque cuando el común de los mortales lee acerca de los sueldos de seis y ocasionalmente siete cifras que devengan ciertos ejecutivos, se resienten y suponen que a eso se debe el alto costo de ciertos artículos como los automóviles. Sin embargo, si se deduce el costo de sus haberes a la suma de US $ 2.30 por atomóvil, se puede apreciar a las claras que es un costo irrisorio.

Claro está que cabe la posibilidad de que algunos de estos hombres sean egoístas; pero la verdad es que para satisfacer sus propios deseos se ven obligados a colmar de grandes beneficios al público en general. Como he dicho a menudo, el ser humano puede lograr lo que quiera de la vida siempre y cuando ayude a un número suficiente de gente a lograr lo que ella desea. Por esta razón el mercado de libre empresa es tan fascinante y nos ha brindado el nivel de vida más alto hasta ahora conocido por el hombre.

Pasos de Acción

1. Hoy tendré en cuenta que seré recompensado en proporción directa a mis esfuerzos, de modo que me desenvolveré de la mejor forma posible.
2. Hoy yo ....

El mayor premio que la vida puede ofrecer es brindarnos la oportunidad de trabajar duro para llevar a cabo algo que vale la pena realizar.

Teodoro Roosevelt

... y Su Vocabulario

Hace poco conversé con un ejecutivo de una gran empresa. Analizábamos la posibilidad de contratar para su empresa un conferenciante profesional con motivo de su reunión nacional de ventas. Ellos ya habían escuchado una de sus conferencias grabadas. Dicha grabación era excelente, pero el conferenciante había recurrido a uno o dos cuentos de mal tono. El ejecutivo le dijo al conferenciante que no sería contratado a causa de tales cuentos. Respondió éste que con mucho gusto podía eliminarlos durante la intervención en su empresa. El ejecutivo le respondió: «Lo que sucede es que nosotros estamos buscando un conferenciante que nunca cuente esta clase de anécdotas, y no uno que las suprima simplemente por darnos gusto».

¿Insólito? No lo creo. Yo no he tenido noticia de que alguien haya sido contratado porque era un maestro de la injuria, o era muy bueno para «echar chistes verdes». Dudo que alguna jovencita haya llegado a su casa a decirle a su padre que tiene que conocer a este «rollo» de muchacho que acaba de pasarse a la casa de al lado, ¡porque el joven cuenta los cuentos más vulgares que ella jamás haya escuchado! En cambio sí tengo noticia de muchos cargos y ascensos malogrados y de romances vueltos añicos por la utilización de un lenguaje vulgar y soez.

Quienes llegan a la cúspide conocen la importancia de mantener sus actuaciones «diáfanas». Las posibilidades de éxito se acrecientan cuando todas las actuaciones humanas son «diáfanas».

Pasos de Acción

1. Hoy estaré más consciente que nunca del impacto que tienen mis palabras sobre aquellos que me rodean.
2. Hoy yo ....

La bondad es la única inversión que nunca falla.

Henry David Thoreau

2.
A la Hora de Escoger...

«El que escoge el punto de partida en una carretera también escoge el lugar de llegada».

... Control

Recuerde que usted sólo está «a cargo del pollo».

El gobernador de Massachusetts llevaba a cabo una intensa campaña para lograr su reelección. Había participado en varias concentraciones durante la mañana, no había tenido tiempo de almorzar, y llegó tarde a un almuerzo campestre organizado por una comunidad religiosa. Al alargar su plato, la dama encargada de servir el pollo le dio una sola pieza.

— ¿Me podría dar otra pieza?— le dijo el gobernador.

— Lo siento solo una pieza por persona —le respondió la dama.

— ¿Acaso usted no me reconoce? —insistió el funcionario—. Yo soy Christian Herter, ¡*el gobernador* de este Estado!

— Y yo soy la señora encargada de servir el pollo —le contestó la dama—. Hágame el favor de apartarse.

Es posible que una devoción tan extrema a la responsabilidad no sea justificable, pero tal compromiso con el oficio encomendado sí es digno de elogio.

¿Cuál es su deber el día de hoy? Hágase cargo del asunto, ya esté repartiendo piezas de pollo o dirigiendo los destinos de un Estado. Hágalo bien y hágalo correctamente. No deje que nada ni nadie le enturbie su visión o su buen juicio. Tenga en cuenta que aunque usted no esté a cargo del pollo, usted sí puede y debe estar a cargo de su vida y su futuro.

Pasos de Acción

1. Hoy me haré cargo de mi vida, porque comprendo que yo controlo mi futuro.
2. Hoy yo ....

Ningún hombre puede ir más allá de las limitaciones de su propio carácter.

Robespierre

... Estados de Animo

El estado de ánimo depresivo ha sido descrito como el nocivo arte de no hacer nada. La depresión es el sentimiento de que la vida es inútil, que no hay remedio y que nada vale la pena. Todos hemos pasado por etapas de la vida en las cuales no vislumbramos nada positivo en el futuro. Usted sabe de qué estoy hablando: aquellas épocas en que no vemos por ninguna parte la salida del atolladero, y no se percibe ni un pequeño rayo de luz en las tinieblas.

¿Sabía *usted* que estos sentimientos pueden controlarse? Sus acciones determinan sus sentimientos. Tenga lo anterior en cuenta y medite sobre los siguientes tres consejos:

En primer lugar, recuerde que toda depresión se nutre del disgusto y que en la mayoría de los casos ese disgusto está dirigido hacia alguien. Escudriñe los archivos de la memoria; si está disgustado o resentido con una o más personas, dígales que usted las disculpa, y pídales que le disculpen.

En segundo lugar, ponga un poquito de orden en su vida. En múltiples casos, la depresión se nutre de esos cabos sueltos que se presentan en nuestra vida. Prepare su lista de «Cosas por Hacer» y póngale orden a su vida. Con cada tarea que cumpla se sentirá mejor.

En tercer lugar, trate de ayudar a alguien. El Dr. Karl Menninger, dueño de la Clínica Menninger de Topeka, Estado de Kansas, dice que si una persona cree que va a tener crisis mental debe buscar otra persona que tenga un problema y ayudarle a resolver ese problema. En muchas ocasiones, ayudándole a otra persona a resolver su problema, el nuestro queda resuelto por añadidura. Es cierto que cada cual puede obtener de la vida lo que quiera, siempre y cuando ayude a los demás a conseguir lo que ellos quieren.

Pasos de Acción

1. Hoy ayudaré a alguien «secretamente». Haré un acto de buena voluntad anónimamente.
2. Hoy haré algo positivo por ....
(Nombre)
3. Hoy yo ....

La felicidad es un perfume que no se le puede poner a otro sin salpicarse uno.

Ralph Waldo Emerson

... ¿Qué Hacer?

Algunas personas ganan a pesar de las probabilidades en su contra. Dentro de ese grupo selecto puede incluirse usted.

Angie Pikshus tenía todas las razones del mundo para pensar que el juego de la vida le había barajado las peores cartas. Su madre murió cuando era sólo una pequeñuela. Jamás conoció realmente a su papá o la paz y tranquilidad de un hogar; por el contrario, la pasaron de un orfanato a otro. Cuando cursaba cuarto de primaria la enviaron al Estado de Arkansas a vivir con unos parientes. A la sazón, Angie era una huérfana pasada de kilos que ya no cabía en la ropa, y para rematar la iban a llevar a un sitio donde no tenía amigo alguno.

De vez en cuando todos hemos pensado que la vida ha cargado los dados en contra nuestra. Al llegar a este hito de su vida, Angie abrigaba múltiples razones para sentirse engañada. Sin embargo decidió retar a su destino. Estaba muy gorda y, por lo tanto, necesitaba adelgazar. Con ese único propósito se dedicó a correr. Cuanto más corría, más disfrutaba del ejercicio y más se dedicaba a esta actividad. A medida que entrenaba decidió que había llegado la hora de competir.

Angie, quien en la actualidad es alumna de la Universidad de Arkansas, ha ganado tres maratones y varias carreras de diez kilómetros. Adicionalmente, ha triunfado dos veces en el maratón de Mardi Gras, que se celebra en la ciudad de Nueva Orleáns, y ha cosechado triunfos significativos en las ciudades de Memphis y Atlanta, entre otros.

Angie Pikshus tenía todas las razones del mundo para pensar que el destino la había marcado con el sello del fracaso, pero ella rehusó aceptar esa condena. Se superó a pesar de todos los obstáculos. Lo más emocionante de esta historia es que los mismos principios de compromiso, dedicación y *trabajo tesonero* que le ayudaron a bajar de peso y a convertirse en una campeona también la llevarán a triunfar en otras actividades.

P.D. Lo anterior es valedero para todo el mundo.

Pasos de Acción

1. Hoy asumiré la obligación de trabajar tan duro como sea necesario para lograr mis metas.
2. Hoy yo ....

El éxito absoluto no se compra al contado, más bien se consigue por el sistema de cuotas.

Fraternal Monitor

... Altos Ideales

Me gustaría entusiasmarle a usted para que sueñe despierto y se fije las metas de mayor alcance en su vida.

Un profesor universitario les puso a sus alumnos un examen que contenía tres tipos de preguntas, y les dijo que escogieran una pregunta de cada sección del examen. La primera categoría, la más difícil, estaba valorada en cincuenta puntos. La segunda, no tan difícil, valía cuarenta puntos. Y la última, la más sencilla, tan sólo tenía un valor de treinta puntos.

Los estudiantes que intentaron contestar las preguntas más difíciles, aquellas valoradas en cincuenta puntos, recibieron las mejores notas. Los que escogieron contestar las de menor y mínimo valor recibieron notas de acuerdo con la elección.

Los estudiantes no comprendieron la forma de proceder del profesor y le preguntaron cuál había sido su criterio para calificar los exámenes. El profesor, recostado en su asiento y con una sonrisa dibujada en el rostro, les respondió:

— Yo no estaba examinando sus conocimientos: *estaba examinando sus aspiraciones.*

Langston Hughes escribió: «Aférrate a tus sueños, porque si los sueños mueren, la vida será como un pájaro con las alas rotas que no puede volar».

Y Browning dijo: «El alcance de la mano de un hombre debe ir más allá de lo que puede tocar; o si no, ¿para qué fue creado el cielo?» Una buena razón para tratar de llegar a la Luna es que no hay posibilidades de terminar con las manos enlodadas. Sueñe en grande, apunte bien alto, y conteste las preguntas de mayor calificación.

Pasos de Acción

1. Hoy buscaré las preguntas de mayor calificación en mi vida.
2. Hoy yo ....

La explicación del triunfo está toda en la primera sílaba *.

* Juego de palabras; en inglés, *tri* (primera sílaba de *triumph:* triunfo) se pronuncia lo mismo que *try:* intente, haga un esfuerzo. *(N. del Ed.).*

... Respuestas Positivas

La capacidad de auto-control de una persona tiene mucho que ver con su posibilidad de escalar posiciones. Hace poco tuve la oportunidad de presenciar en un restaurante cómo la falta de auto-control arruinó la cena a una pareja, debido a un olvido insignificante de la camarera y al mal genio del comensal.

El señor pidió otra taza de café y la camarera prometió traérsela enseguida.

Cuando se dirigía a la cafetera, otro cliente le solicitó la cuenta; le explicó que debía llegar al aeropuerto, o de lo contrario perdería el avión. La camarera procedió a hacer la cuenta, y se olvidó del café que le había prometido al otro cliente. Tres minutos más tarde el hombre que había solicitado el café «entró en erupción». La velada fue un desastre de allí en adelante.

Es realmente triste que en numerosas ocasiones permitamos que un incidente de poca monta nos arruine a nosotros y a los demás una velada o reunión. Situaciones como ésta a menudo afectan a diferentes facetas de nuestra vida, desde la solidaridad familiar hasta el éxito en los negocios. Se ha dicho que nuestro tamaño se mide por lo que se requiere para irritarnos. Mi pregunta es: ¿Cuál es el punto de «erupción» de usted? Controle la «erupción» y prepárese para la «ascensión».

Pasos de Acción

1. Hoy reflexionaré antes de reaccionar ante *cualquier* situación, con objeto de mantener el control de mi vida y de mi destino.
2. Hoy yo ....

Sea en la calle o en una discusión, si ve el color rojo, ¡deténgase!

... Altruismo

Me cuentan que en Indonesia crece un árbol llamado «upas». Este árbol segrega un veneno y crece tan frondoso y grueso que mata toda vegetación que trate de surgir bajo sus ramas. Cubre, da sombra y mata. Lamento decir que conozco algunas personas que son así, y estoy seguro de que usted también las conoce.

Estas personas son egocéntricas y dominantes. Se atribuyen todos los méritos y quieren ser el centro de atención. No tienen ningún interés en ayudar a los demás, pero sí en utilizarlos. Al igual que los upas, no permiten que los demás florezcan, maduren y progresen.

Por otra parte, me acuerdo que de niño yo trataba de mantener el equilibrio mientras caminaba por la vía del ferrocarril. No había avanzado mucho cuando ya estaba en el suelo. Pero si mi íntimo amigo subía a un riel y yo al otro y nos dábamos la mano, literalmente podíamos darle la vuelta al mundo, apoyándonos el uno en el otro.

Tanto usted como yo debemos escoger. Podemos ser como los upas, que esparcen veneno y piensan tan sólo en sí mismos, o podemos darles la mano a otros durante nuestro peregrinar por el mundo. Como dijo Disraeli, «La vida es demasiado corta para ser pequeña». Es cierto. Cada cual puede pasar la vida ayudando a los demás, o, por el contrario, malgastarla siendo egoísta. Usted puede utilizar a los demás o tener amigos.

Pasos de Acción

1. Hoy les brindaré mi apoyo a aquéllos a quienes estimo.
2. Hoy yo ....

La bondad no es algo que se da regalado, pues siempre retorna.

... Carácter

Chris Schenkel es conocido desde 1952 como «El hombre bondadoso del deporte». Según Schenkel, ésa es su forma de ser. A pesar de ser criticado por su estilo de transmisión que consiste en elogiar a los jugadores y jamás emitir juicios de valor, Schenkel les dice a sus detractores: «Lo que yo hago demuestra quién soy. Si tuviera que comenzar de nuevo, no cambiaría nada. Me han tratado de presionar para que sea más crítico, pero he llegado hasta aquí siendo como soy, de modo que no voy a cambiar».

Schenkel inició su sueño de ser locutor en los años 30. Escuchaba las transmisiones radiales de los partidos de beisbol, y trataba de imitar a los locutores. Su padre le regaló una de las primeras grabadoras de disco que salieron al mercado, y Chris grababa los partidos para posteriormente imitar a los locutores. Recién ingresado a la Universidad de Purdue, consiguió un trabajo en la emisora WLBC de la ciudad de Muncie, Indiana, donde le pagaban dieciocho dólares a la semana. Su trabajo consistía en redactar anuncios comerciales, cobrarles a los clientes, y actuar como locutor durante turnos de doce horas. En 1952 comenzó a trabajar como locutor suplente en los encuentros de boxeo transmitidos por la cadena ABC, y posteriormente como anunciador suplente durante los partidos de los Gigantes de Nueva York, en las primeras transmisiones por televisión.

Chris Schenkel trabajó duramente durante muchos años. En la actualidad, es uno de los locutores más respetados de los Estados Unidos. Logró su escaño en el mundo de las comunicaciones deportivas elogiando, no criticando. No tema usted exponer sus principios, y defienda lo que considere correcto. Como dice Chris Schenkel, *lo que hacemos demuestra lo que somos.*

Pasos de Acción

1. Hoy tendré en cuenta que «lo que hago demuestra lo que soy», y procederé consecuentemente.
2. Hoy yo ....

Carácter es sencillamente hábito continuo.

... Problemas

Con toda certeza, usted tendrá que enfrentarse a un problema el día de hoy, aunque sea destapar una botella de salsa de tomate. Estas situaciones las defino como oportunidades, más bien que como problemas.

Manejar y resolver estas oportunidades forma parte del diario vivir. Nos encontramos con ellas y con toda su gama de posibilidades desde que nos levantamos hasta que nos acostamos.

Llegamos a vivir con madurez y éxito cuando aprendemos a manejar estas oportunidades rápidamente y sin bombos y platillos. El ejecutivo competente procesa todo tipo de documentos con prontitud, toma decisiones rápidas y definitivas, respaldadas por muchos años de experiencia. La madre de tres hijos pequeños maneja hora tras hora en su hogar un gran número de variadísimas oportunidades con igual pericia.

La capacidad de resolver oportunidades se convierte en parte importante de nuestro carácter, a medida que maduramos. En realidad, nuestro valor desde el punto de vista de nuestro patrón y ante nosotros mismos guarda proporción directa con el número y el tamaño de lo problemas que somos capaces de resolver diariamente. De modo que cuando se presenten esas oportunidades, considérese usted afortunado y tómese el tiempo necesario para resolverlas correctamente. Aprenda la destreza del análisis rápido, y recuerde: Si no se presentaran «problemas» en su empresa, probablemente su cargo no sería necesario. La mayoría de las labores consisten en allanar obstáculos.

Pasos de Acción

1. Hoy consideraré que todo problema es una oportunidad, y tomaré conciencia de que yo aumento mi valor al convertirme en un solucionador de problemas.
2. Hoy yo ....

En las puertas de la oportunidad se lee: «Empuje» y «Tire».

... Televisión

Cuando se habla de trabajo en la televisión, inmediatamente vienen a la mente imágenes de atractivo, fama, reconocimiento y fortuna. Lo que voy a compartir hoy satisface la mayoría de estos criterios, pero tal vez no en la forma que usted espera.

El trabajo relacionado con la televisión que tengo en mente para usted en calidad de padre o de amigo de un niño, es de tipo participativo. Si los padres participan en los programas que sus hijos ven en la T.V., entonces la T.V. puede ser buena. Desafortunadamente, la mayor parte de lo que usted —o un niño— ve en la pequeña pantalla dista de ser bueno. He aquí un ejemplo: Durante los programas de mayor sintonía en los Estados Unidos, el consumo de alcohol se ve cada siete minutos y medio, presentado como una costumbre social aceptada generalmente de forma favorable. Desde luego, dichas presentaciones no incluyen los anuncios de cerveza y vino, considerados como la publicidad más persuasiva en este medio.

El beneficio potencial de la televisión depende, como en tantos otros casos, del grado de participación de los padres. Así que el puesto que yo tengo para ofrecerle a usted no está frente a las cámaras; se trata de un cargo ejecutivo frente al televisor. Si usted se comporta bien, tendrá éxito en el lugar donde más vale la pena, en su hogar, con sus hijos y con los amigos de ellos. Con este enfoque, hay buenas probabilidades de que usted llegue a oír que sus hijos dicen: «¡Mis papás son fabulosos! ¡Ellos querían lo mejor para mí, y decidieron participar para asegurarse de que así fuera!» ¿Qué mejor remuneración por desempeñar un cargo en su televisión?

Pasos de Acción

1. Hoy controlaré mi vida y nuestro aparato de televisión. Voy a «gerenciar» la información que mi familia y yo recibamos a través de la pequeña pantalla.
2. Hoy yo ....

Mis objeciones a la televisión no se basan únicamente en que la calidad de la programación es tristemente mala; se deben también a que la pantalla ejerce un poder hipnótico sobre la mayoría de las personas... Se trata de una terrible esclavitud de la mente, y tal como Aristóteles nos advirtió hace mucho tiempo, «lo peor de la esclavitud es que con el tiempo a los esclavos acaba por gustarles».

Sidney J. Harris

... Felicidad

Estoy convencido de que la gente tiene que disfrutar de la vida. No importa cuán ocupado pueda uno estar; siempre hay tiempo para encontrarse en dos posibles estados de ánimo: feliz o desgraciado. Es posible que usted no haya tomado conciencia de esto: Al levantarse, usted tomó la decisión de ser feliz o desgraciado.

Recientemente, Carol Burnett recibió una colección de poesías de niños. Una niña llamada Patricia escribió: «La felicidad es abrigarse bajo las mantas en una noche fría. La felicidad es sencillamente ser feliz».

La felicidad es sencillamente ser feliz.

June Callwood relata que el historiador Will Durant trató de encontrar la felicidad en el conocimiento, y sólo halló desilusión. Después buscó la felicidad viajando, y apenas encontró otra cosa que cansancio; en el dinero sólo encontró discordia y preocupación. Buscó la felicidad en sus escritos, y encontró fatiga. Un día vio a una dama que esperaba en un automóvil con un niño pequeño dormido en su regazo. Un hombre descendió del tren, se acercó y suavemente besó primero a la dama y luego al niño, suavemente para no despertarlo. La familia se alejó en el automóvil, dejando a Durant con un maravilloso descubrimiento: *toda actividad común y corriente de la vida tiene cierto encanto.*

En su búsqueda de la felicidad y del éxito, no descuide su vida normal. Además, no olvide que la vida es como un beso: ¡para sacarle gusto hay que dárselo a alguien!

Pasos de Acción

1. Hoy me dedicaré a regalar felicidad, y de esa forma disfrutaré de recompensas.
2. Hoy yo ....

El necio busca la felicidad en la lejanía; el sabio la cultiva bajo sus pies.

James Oppenheim

... Oportunidad

Como me crié en un villorio sureño durante la Depresión, participé en una forma de vida que medida con los patrones actuales fue casi prehistórica.

En el almacén donde trabajaba vendíamos por galones la melaza, y ésta se almacenaba en un barril de madera. En aquella época los niños rara vez recibían dinero para comprar caramelos. Con frecuencia venía a la tienda un chaval a quien le encantaba el dulce y se engolosinaba con la melaza. Apenas entraba, se dirigía al barril, lo destapaba, introducía la mano y sacaba un dedo untado de melaza, y lo chupaba con deleite. A falta de caramelos buena era la melaza. Mi patrón le había advertido en numerosas ocasiones que desistiera de dicha costumbre.

Cierto día, el patrón pilló al chaval literalmente *in fraganti;* lleno de exasperación lo levantó del suelo y lo dejó caer dentro del barril. A medida que se sumergía en la melaza lo alcanzamos a oír recitando la siguiente oración: «Dios mío, ¡permite que mi lengua esté a la altura de las circunstancias!» Cuando escribo o hablo yo le pido a Dios que me dé la lengua (pluma) para estar a la altura de las circunstancias. La historia de la melaza es un cuento, pero no es ningún cuento cuando digo que en muchas ocasiones las oportunidades se les presentan a aquéllos que no están listos para aprovecharlas. Es mi consejo y firme convencimiento que el que está preparado para aprovechar las oportunidades, encontrará que las oportunidades «se las pintan calvas».

Pasos de Acción

1. Hoy me prepararé para aprovechar toda oportunidad que se me presente.
2. Hoy yo ....

Las oportunidades se multiplican cuando se aprovechan; se mueren cuando se dejan pasar.

... Comunicación

Cuando vivía Henry David Thoreau en el lago Walden, en cierta ocasión vio a unos trabajadores que estaban colocando unos alambres junto al ferrocarril que conducía a Fitchburg. Al preguntarles Thoreau qué estaban haciendo, le contestaron con orgullo que estaban instalando líneas de telégrafo que permitiría a la gente de Maine conversar con la de Texas.

A pesar de que se trataba del más moderno sistema de comunicación hasta la fecha inventado, a Thoreau le hacía poca gracia dicha novedad. «Pero ¿qué sucede, si la gente de Maine no tiene nada que decir a la gente de Texas y viceversa?».

Si Thoreau viviese en la actualidad habría tenido oportunidad de ver medios de comunicación todavía más sofisticados que el telégrafo; pero ¿le habrían hecho gracia? Es posible, aunque tal vez hubiese vuelto a repetir su pregunta. La pregunta es ésta: ¿No damos en general más importancia al medio que al mensaje? Algunas personas tienen algo que decir mientras que otras tienen que decir *algo* ¿Usted a qué grupo pertenece?

Pasos de Acción

1. Hoy recordará las instrucciones que debieran venir con la habilidad vocal de cada persona: «Encienda el cerebro antes de poner en movimiento la boca».
2. Hoy yo ....

Cuando hablas, tan sólo dices lo que ya sabes. Cuando escuchas, aprendes lo que otra persona sabe.

... Virtud

Después de la muerte de Freddie Prinze —una de las super-estrellas del mundo de la farándula—, le preguntaron a Ronna Barrett, una periodista de Hollywood: «¿Conoce usted a alguna otra super-estrella en el mundo de la farándula, la música, o el deporte que pudiera estar en peligro de eliminarse a propósito o accidentalmente?» Rona respondió: «No conozco a una sola super-estrella, hombre o mujer, que *no* esté en peligro de eliminarse a propósito o accidentalmente, porque no conozco una sola que sea realmente feliz».

¡Qué tristeza! A primera vista, parece que estos personajes lo tienen todo: juventud, dinero, salud, fama, y tanto carisma que requieren guardaespaldas para que los protejan de los asedios del sexo opuesto. Pero a pesar de todo, son desgraciados. La explicación es sencilla: Una persona no consigue felicidad por lo que *tiene;* lo que importa es lo que *es*.

Padres de familia: no gasten su dinero dándoles «cosas» a sus hijos. Dense ustedes mismos, denles su tiempo, su amor incondicional. Enséñenles esas virtudes de antaño: honestidad, integridad, fe, amor, lealtad y cumplimiento del deber. Con estos ingredientes, sus hijos podrán elaborar su propia felicidad.

Pasos de Acción

1. Hoy les dedicaré tiempo cualitativo y cuantitativo a los seres a quienes amo.
2. Hoy procuraré inculcar esas virtudes «de antaño» mediante mi ejemplo positivo.
3. Hoy yo ....

Quien es virtuoso es sabio; quien es sabio es bueno; quien es buen es feliz.

... Llegar hasta el Final

La nonagenaria Helen Hill describe su época de colegiala como maravillosa, aunque nunca recibió el diploma. Ella y sus cinco compañeros no lo recibieron oficialmente porque el colegio estaba en quiebra. Pero me complace contarle que Helen Hill finalmente recibió su diploma. En mayo de 1983, ella, la residente más entrada en años de South Thomaston, Maine, y la única sobreviviente de la clase de 1907, recibió su diploma, ¡con 76 años de retraso!

Nunca es demasiado tarde para soñar, aprender, o cambiar. Carl Carson decidió cambiar de carrera a la tierna edad de sesenta y cuatro años. Dejó de ser un exitoso concesionario de camiones y automóviles para convertirse en consultor de negocios. Se había fijado la meta de venderles sus servicios a diez clientes potenciales. Esa meta la logró en marzo de 1983. En la actualidad dirige una publicación mensual que imparte consejos a *mil doscientos suscriptores*, y con sus setenta y cinco abriles a cuestas, recorre los Estados Unidos *cien veces al año* dictando conferencias y participando en seminarios.

Nunca es demasiado tarde para soñar, aprender o cambiar. Algunos esgrimen como excusa que están muy viejos, que son muy jóvenes, que son negros o blancos, que son mujeres u hombres. La vida no es fácil, pero puede tener recompensas. Usted no puede detener el tiempo, pero sí puede detener los pensamientos negativos y usar esas habilidades exclusivas que tiene.

Pasos de Acción

1. Hoy me concentraré en lo que soy capaz de hacer en lugar de sumirme en lo que no me es posible hacer.
2. Hoy yo ....

La experiencia demuestra que el éxito se debe menos a la habilidad que al empeño tenaz. El ganador es el que se entrega a su trabajo, en cuerpo y alma.

Charles Buxton

... Determinación

Un joven locutor que a la sazón estaba a punto de triunfar, fue súbitamente despedido. El muchacho estaba consternado, pero al llegar a casa le dijo a su mujer: «Mi amor, se me ha presentado la oportunidad de trabajar por mi cuenta».

Como ocurre con frecuencia, lo que parecía ser el acontecimiento más desastroso de la vida tenía en sí el germen de su mayor oportunidad. El joven locutor asumió una actitud muy positiva y se dedicó en serio a trabajar por su cuenta. Diseñó un programa que llegó a ser conocido en la televisión norteamericana con el nombre de «La Gente Es Graciosa». Probablemente algunos de ustedes hayan tenido la oportunidad de ver a ese joven que se convirtió en la personalidad más cotizada de la televisión de los Estados Unidos en los años cincuenta y sesenta. Su nombre es Art Linkletter.

Art escribió un nuevo libro titulado *¡Sí, usted puede!*, en el cual narra cómo uno de sus mayores desencantos se convirtió en el trampolín de sus éxitos posteriores. Ese principio es aplicable a la vida de casi todo ser humano. El fracaso y el rechazo parace que nos forman o nos destruyen. A la persona verdaderamente resuelta, el fracaso le depara la fuente de determinación que se necesita para poder coronar la cumbre. Emule a Art Linkletter. Transmute la desilusión en determinación, que ésta le ayudará a alcanzar la cumbre.

Pasos de Acción

1. Hoy transmutaré las desiluciones pequeñas en logros importantes, buscándole el labo bueno a *todo* lo que se presente en mi camino.
2. Hoy yo ....

Un hombre fornido no es más que un flaco que todos los días practica gimnasia.

Christopher Morley

... Optimismo

Winston Churchill decía a menudo: «Yo soy optimista porque parece que nada se gana no siéndolo». Yo creo que podemos estar de acuerdo en que una filosofía de optimismo y entusiasmo futurista es una forma de vida superior al pesimismo. Con el transcurso del tiempo hemos aprendido que somos más felices y nos desenvolvemos mejor cuando miramos hacia el futuro con esperanza y entusiasmo.

Pero resulta que muchos no se han enterado de que un poco de mirada optimista es el resultado de una elección que hicimos. Todos elegimos nuestras actitudes básicas respecto de la vida. Esa es la razón por la cual la frase de Winston Churchill significa tanto para mí; yo también soy optimista, porque resolví serlo. El pesimismo y la desesperanza no son buenos compañeros de viaje.

Mi elección no la hice sin fundamento. Muy ciertamente, tengo mis razones para vivir con entusiasmo y esperanza. Creo firmemente que el verdadero centro creativo de la naturaleza y de la vida es positivo, optimista y colmado de esperanza. No se trata de una elección ciega sino de una elección con una razón y un propósito. Basándome en la vida de muchos triunfadores que conozco personalmente, estoy sinceramente convencido de que usted tiene muchas razones para poder esperar la victoria en la vida.

Pasos de Acción

1. Hoy aprovecharé ese don que Dios me dio, para elegir la felicidad en lugar de la tristeza, el optimismo en lugar del pesimismo, la victoria en lugar de la derrota.
2. Hoy yo ....

La Declaración de Independencia tan sólo proclama el derecho a la búsqueda de la felicidad; cada cual tiene que alcanzarla por sí mismo.

... el Fracaso

En el camino del éxito se encuentran numerosas personas que fracasan. Lo anterior parece contradictorio, pero es cierto. ¿Cómo se explica esto? Es muy sencillo; quienes entran por las puertas del éxito son los que están dispuestos a hacer el intento, sin temor, sabiendo que siempre existe la posibilidad de fracaso en cualquier empresa que se acomete. A estas personas no les gusta el fracaso, abominan de él, pero no lo temen.

¿Sabía usted que el mejor bateador de todos los tiempos también tuvo durante muchos años la marca mundial de fallos con el bate? Así es: Babe Ruth, la figura legendaria del béisbol, falló al bate más que cualquier otro jugador en la historia de este deporte, hasta que Mickey Mantle, el otro coloso, le quitó esa marca mundial de fracasos. Babe Ruth salía a batear, y no temía no darle a la pelota; por tanto, hizo el mayor número de carreras que jugador alguno jamás haya hecho.

Lo anterior da mucho qué pensar, ¿no es verdad? Al mismo tiempo, nos permite entender con claridad lo que quise expresar cuando dije que el camino del éxito está lleno de fracasos. Estas personas son ciertamente fracasados de profesión. Por el contrario, son personas que experimentan, retan e introducen innovaciones; son personas que saben ponerse de pie cada vez que tropiezan y se caen. Saben que no habrán fracasado si se levantan después de la última caída. De modo que ¡a jugar, a desafiar las circunstancias adversas y a pegar certeramente!

Pasos de Acción

1. Hoy sacaré provecho del fracaso recordando que de cada fracaso se construye un peldaño en la escalera de la victoria.
2. Hoy yo ....

Muchos hombres nunca fracasan porque nunca se atreven.
Norman MacEwan

... Gente Amistosa

No se debe juzgar a una ciudad por el comportamiento de uno de sus ciudadanos, ni a una persona por una experiencia desagradable. He aquí por qué:

Una joven pareja se trasladó de Nueva York a Dallas, con tan mala suerte que, al parecer, el primer individuo que conocieron en esta bella ciudad tejana era un ogro. Los jóvenes llegaron a la errónea conclusión de que todos los tejanos eran así, y se quejaban de que era la gente más hostil que habían conocido, y que después de estar viviendo en Texas durante varios meses no habían logrado tener amigos. Desafortunadamente, la actitud negativa que asumieron eliminaba calquier posibilidad de entablar nuevas amistades.

Por fortuna, este triste cuadro cambió cuando otra pareja decidió invitar a los neoyorkinos a conocer la «verdadera» Dallas. Se los presentaron con entusiasmo a algunos vecinos, y los invitaron a la iglesia y a varios actos sociales y deportivos. Los recién llegados comenzaron a ver a Dallas y a Texas como eran en realidad, bajo otra luz. Ahora tienen numerosos amigos entre sus vecinos, y son más tejanos que los que viven ahí desde hace diez años.

El antiguo adagio que dice: «No juzgues el libro por la tapa» es aplicable a cualquier primer juicio de valor, bien se trate de personas, ciudades, colegios, o de otra cosa. El mensaje es claro: No juzgue ni califique a las personas y a los lugares basándose en una primera impresión desagradable. Tanto usted como los demás se beneficiarán si les concede otra oportunidad.

Pasos de Acción

1. Hoy reevaluaré mi punto de vista sobre ....
(nombre)
y .... y veré cómo son, realmente.
(nombre)

2. Hoy yo ....

No siempre podemos complacer a los demás, pero sí les podemos hablar de forma complaciente.

Voltaire

... Edificar

El libro *¿Qué hay en un nombre?*, publicado por Ark Books de Minneapolis, es realmente insólito y absorbente. Contiene unos setecientos nombres de personas, da su significado literal, cualidades de los personajes, versículos de la Biblia donde figuran, y otras explicaciones.

En el prólogo del libro se narra la historia de un pequeño llamado Clayton a quien sus amigos apodaban «Clay»*.

Un tío del pequeño Clay comenzó a acomplejarlo equiparando su nombre con el barro. Clay creció con serios problemas de actitud e identidad, hasta el día en que conoció a John Hartzell, uno de los tres editores del libro citado. John le explicó a Clay que la arcilla no es cualquier barro, y que, por el contrario, es una materia prima que en manos del alfarero se convierte en un objeto de belleza y utilidad. También le dijo que Dios comparaba a su pueblo escogido con la arcilla. Desde ese momento Clay comprendió su propio valor y sus características únicas, y volvió a nacer con un punto de vista diferente que le permitió dar un nuevo rumbo a su existencia.

La historia de Clay es trise, reveladora y emocionante. Triste porque un tío irreflexivo le produjo mucho sufrimiento a un sobrino, a quien probablemente quería mucho. Es reveladora porque ilustra la importancia de recibir la información correcta. Es emocionante porque ilustra cómo todos somos capaces de cambiar el rumbo de nuestra vida cambiando nuestra forma de pensar.

* *Clay* en inglés significa *arcilla;* se usa con frecuencia como abreviatura de Clayton, sin connotación peyorativa *(N. del Trad.)*.

Pasos de Acción

1. Hoy tendré en cuenta el poder que tienen mis palabras y las utilizaré sabiamente.
2. Hoy yo ....

Algunos de los crímenes más terribles de la humanidad se cometieron bajo el embrujo de ciertas palabras o frases mágicas.

James Bryant Conant

... Retirada

Gene Tunney, ex campeón mundial de los pesos pesados, para sus encuentros boxísticos con Jack Dempsey entrenaba corriendo hacia atrás. Tunney no le tenía miedo a Dempsey, pero sabía que era un púgil demoledor. También sabía que si Dempsey le pegaba lo podía lastimar seriamente, y un púgil lastimado toma la iniciativa por instinto, y generalmente termina tirado en la lona, noqueado.

Para evitar semejante eventualidad, Tunney se ingenió el sistema de correr muchos kilómetros hacia atrás. Esta estrategia le pagó dividendos en la famosa pelea que pasó a la historia con el hombre del combate del largo conteo. Cuando Turnney, después de ser derribado por Dempsey, se levantó de la lona al finalizar el conteo de rigor, se dedicó a retroceder manteniéndose retirado de Dempsey, y efectuando una pelea dilatoria hasta el final del asalto. En el asalto siguiente, Tunney ya había recuperado sus fuerzas y todas sus facultades; derribó a Dempsey y ganó el combate.

Tunney ganó porque se había preparado de antemano. Durante la vida, todos nosotros vamos a afrontar dificultades. Como quiera que no podemos amoldar las circunstancias a nuestro gusto, debemos amoldar nuestra actitud de antemano para lidiar con situaciones y personas negativas. Esa es la forma de ganar en las oportunidades que nos brinda la vida día a día.

Pasos de Acción

1. Hoy me prepararé mentalmente para aprovechar toda oportunidad mediante la visualización adelantada de mis actividades clave. Estas son las dos actividades importantes que deseo ensayar mentalmente *antes* de enfrentar las situaciones: a) ....
b) ....
2. Hoy yo ....

Lo que vemos depende mucho de lo que buscamos.

John Lubbock

... Inconformidad

Hace muchos años, mientras hacía sus ejercicios de entrenamiento el «Caballero Jim» Corbett, campeón de los pesos pesados, observó que un hombre dedicado a pescar enganchaba un pez tras otro. Cuál no sería su sorpresa al ver que el pescador se quedaba con los peces pequeños y arrojaba al agua los grandes. Corbett no pudo resistir la curiosidad y le preguntó al pescador la razón de tan extraño proceder. Este le respondió: «Mire amigo, no es que me guste hacerlo. ¡Lo que pasa es que la sartén que tengo es muy pequeña!»

Antes de que se ría permítame recordarle que este cuento tiene mucho que ver con todos nosotros. En numerosas ocasiones, cuando nos llega a la cabeza una gran idea, tenemos la tendencia a decir: «No, Dios mío, no tan grande. ¡Apenas tengo una sartén pequeña!» Además rematamos diciendo: «Por otra parte, Dios, si fuera tan buena idea, ya se le habría ocurrido a otro. Por favor, Dios, dame sólo una ideita que yo sea capaz de manejar; no me obligues a esforzarme, a sudar y a estirar y emplear a fondo mis habilidades».

La moraleja de esta historia es que todos debemos emplearnos a fondo apenas nos llegue una idea luminosa. Ese mismo Dios que nos brindó una idea grande nos brindará las herramientas para convertir ese gran sueño en realidad.

Pasos de Acción

1. Hoy compraré una «sartén» más grande y me desprenderé de mi desidia. Lograré esta meta mediante la realización de:
   a .... b ....
   c ....
2. Hoy yo ....

Las ollas pequeñas se recalientan y rebosan pronto.

... Quien no Conoce su País

Peter Jenkins recorrió a pie más de 7.400 kilómetros a lo largo y ancho de los Estados Unidos, en un lapso de cinco años, durante el cual gastó unos treinta y cinco pares de zapatos. Hizo el recorrido porque deseaba darle a su país otra oportunidad. La información que había recogido en la universidad y en sus lecturas de «el estado de los Estados» le tenía completamente aburrido de la nación. En resumen, estaba sufriendo de una aguda infección de «Mentalidad negativa», que se estaba convirtiendo en un caso de «endurecimiento de actitud». El viaje fue todo un éxito, pues luego de viajar por todo el país y de conocer a sus habitantes, Peter se volvió un devoto creyente en los Estados Unidos.

Obviamente, no todo el mundo puede dedicarse a viajar durante cinco años para conocer su patria y a sus compatriotas. Pero escuchando comentarios positivos, leyendo libros y revistas que refieran los valores que existen en el país, y mirando con ojos positivos los acontecimientos que se presentan, estoy seguro de que usted apreciará a su patria, al igual que Peter Jenkins. Cuando esto suceda, reconocerá la belleza y el potencial que su país le ofrece. Esto le traerá como resultado un reavivamiento del deseo y del goce de vivir, ¡lo cual significa que lo veré a usted en la cima!

Pasos de Acción

1. Hoy leeré por lo menos un artículo de revista o periódico que proyecte una imagen positiva de mi país.
2. Hoy tomaré parte por lo menos en un comentario positivo acerca de mi país. Comenzaré con ....
3. Hoy yo ....

Para aumentar el amor por la patria basta vivir algún tiempo en otro país.

... Cambio

Parece increíble, pero en los Estados Unidos un hombre logró edificar una casa de cuatro alcobas por menos de mil dólares.

John Olberding, de Newkirk, Oklahoma, logró reducir los altos costos de construcción en forma por demás interesante. John trabajó durante varios años en unos terrenos que estaban rellenando con desechos, y se admiraba de la enorme cantidad de materiales que se desperdiciaban. Todo tipo de materiales de construcción, muebles y enseres en buen estado eran arrojados como basura. Decidió guardar y utilizar de alguna forma dichos materiales.

Algún tiempo después, John había logrado almacenar suficiente madera, acero y elementos de fontanería para iniciar la construcción de su propia casa. Diseñó los planos, echó los cimientos y, con la ayuda de algunos amigos, levantó los muros.

No fue parco en la construcción. Todas las paredes tienen aislamiento y la casa está totalmente alfombrada de pared a pared. La vajilla, los cubiertos de plata, la nevera, y la estufa, todos salieron de los lotes de relleno en perfecto estado.

Por su ingenio, John Olberding vive muy cómodamente en su casa de dos pisos, edificada por menos de mil dólares. Parece que la antigua costumbre norteamericana de «Hágalo usted mismo utilizando su ingenio» no ha fenecido. Sí señor: lo que se quiere se puede.

Pasos de Acción

1. Hoy buscaré esas oportunidades que se encuentran ocultas en el camino de mi vida.
2. Hoy yo ....

Las épocas de cambio son épocas de miedo y de oportunidad. Lo que signifiquen para ti dependerá de la actitud que asumas frente a ellas.

Ernest C. Wilson

... el Futuro

Una cuestión interesante es saber si la oportunidad reside en la persona o en el trabajo. Quizás en ambos. Yo conozco personas que conducen taxis, a quienes les va bien, y a muchas en la misma actividad que a duras penas sobreviven. Conozco concesionarios de gasolineras a quienes les va bien, mientras que otros están al borde de la quiebra.

Pero en vez de citar muchos ejemplos, analicemos uno que viene al caso: Muchas veces me he preguntado, especialmente en los hoteles y en los aeropuertos: ¿Cómo resisten los taxistas esas esperas que pueden durar de cinco minutos a tres horas, no haciendo nada más que fumar, escuchar la radio, o deambular en total aburrimiento? Durante ese tiempo de espera todo taxista podría adquirir una magnífica instrucción que lo capacitara para desempeñar múltiples oficios, en su mayoría mejores. Todo taxista podría convertirse en un experto en la ciencia de computación o adquirir conocimientos básicos para estudiar derecho.

Quince minutos diarios de lectura le permiten al lector medio leer quince libros al año. El asunto es sencillo: sin importar a qué se dedica, utilice su tiempo libre para salir adelante.

Pasos de Acción

1. Hoy utilizaré eficazmente todo mi tiempo elaborando un plan para mis horas de ocio.
2. Hoy yo ....

El pasado está presente en el futuro.

Dr. Louis Mann

... un Mano Amiga

El ser más triste que anda por el mundo es el «prisionero de la esperanza». Con toda seguridad usted lo habrá encontrado en algún lugar. Es la persona que sueña con que algún día se morirá un pariente rico y le dejará una gran fortuna. El prisionero de la esperanza sueña con que algún día mientras pasea por la calle, verá una caja, le dará un puntapié, y de ella saldrán miles de billetes que le brindarán la seguridad anhelada; piensa eso o algo similar.

Es el tipo de persona que va a la playa a ver si llega su barco, cuando en realidad bien sabe que el barco jamás ha zarpado. Esto es realmente penoso, pues dichas personas con mucha frecuencia son hábiles, verdaderamente hábiles.

El prisionero de la esperanza no ha descubierto que si realmente desea encontrar una mano amiga, sólo tiene que mirar el extremo de su brazo, ¡pues es allí donde la va a encontrar! Entonces si usted usa esas manos que están en el extremo de sus mangas, encontrará la solución de los problemas que se le ha estado escapando hasta este momento de su vida.

Pasos de Acción

1. Hoy aceptaré la responsabilidad de mis acciones y buscaré la mano amiga tan sólo en el extremo de mi propio brazo.
2. Hoy yo ....

Si yo no pienso en mí mismo, ¿quién lo hará? Pero si solo pienso en mí mismo, ¿qué soy yo?

Hillel

... Utilidades

De joven trabajé en una tienda de comestibles. Cierto día que no había movimiento, el dueño estaba preocupado porque todos estaban ociosos. Entonces me escogió a mí entre todos para que desempolvara y limpiara un estante. Indignado le dije a mi patrón: «Pero, señor Anderson, allí sólo hay dos latas de tomates».

El hecho es que la forma en que pronuncié la palabra «sólo» era precisamente lo que el señor Anderson quería oír. Me paró en seco y dijo: «Jovencito, permítame que le ilustre acerca de esas dos latas de tomates. Forman parte de una caja completa de veinticuatro unidades. Ya hemos vendido veintidós. Eso quiere decir que ya recuperamos el dinero invertido. Nuestras ganancias están ahí en esas dos latitas de tomates, y es de esas ganancias de donde va a salir su sueldo. Ahora diga qué piensa de esas dos latas de tomates». Le miré fijamente, y sonriendo contesté: «Señor Anderson, ¡son una belleza!».

Lo que necesitamos hacer es desenvolvernos de la mejor forma posible para que el jefe tenga mayores beneficios. ¡Así podrá pagarnos mejor! De esta forma, el provecho es mutuo.

Pasos de Acción

1. Hoy tendré en cuenta que puedo conseguir todo lo que desee en la vida si ayudo a un número suficiente de personas a conseguir lo que ellas desean.
2. Hoy yo ....

Preocúpate por el «cómo» de tu trabajo, que el «cuánto» vendrá por añadidura.

... Acción

¿Es usted el tipo de persona que hace que las cosas sucedan, ve suceder las cosas, o ni siquiera sabe qué sucedió? Hay tres tipos de personas: los actores, los espectadores y los desinteresados.

Los actores son esas personas llenas de energía dispuestas a probar un nuevo método o a ensayar un nuevo producto. Participan en las actividades de sus familiares y vecinos. Están sinceramente interesados en las ideas nuevas y en ponerlas en práctica.

A los espectadores también les interesan las ideas nuevas, pero únicamente en la medida en que otras personas se tomen el trabajo de ponerlas en práctica. Desean participar en los acontecimientos una vez que haya pasado el riesgo, una vez que estén seguros de que todo resultará a pedir de boca.

El tercer grupo está compuesto por los desinteresados. Este grupo no está interesado en probar ideas nuevas ni en que otros las ensayen. Desean rodar por el mundo; pero no han comprendido que la única forma de rodar es hacia abajo.

Deseo instar a todos a que desarrollen el hábito de explorar y actuar. ¡Nos volvemos *actores* cuando decidimos *actuar*!

Pasos de Acción

1. Hoy desarrollaré el hábito de *actuar* convirtiéndome en actor.
2. Hoy yo ....

Al que se mantiene ocupado le tienta un demonio; al que está ocioso, una legión.

Thomas Fuller

... Su Salud Mental

Muchas personas dejan el radio o el televisor encendidos, pero dicen que no les prestan atención. Esto es peligroso.

Cuando nos concentramos en escuchar o ver algo, nuestra mente consciente vigila a la mente subconsciente, y rechaza las ridículas aseveraciones, ideas y afirmaciones que a menudo nos llegan por el aire. Sin embargo, cuando *no* estamos oyendo o mirando conscientemente (incluso en los sueños), el subconsciente es vulnerable y podemos ser bombardeados con conceptos increíblemente destructivos. El ama de casa distraída que deja el televisor encendido para escuchar el «ruido» o tener «compañía», está siendo igualmente bombardeada con todo tipo de ideas absurdas.

De modo que les recomiendo a los padres de familia que desconecten la radio y la televisión, aunque sus hijos digan que pueden estudiar mejor con estos aparatos encendidos. El sonido externo dificulta la concentración y deja la mente abierta a toda clase de basura.

Pasos de Acción

1. Hoy seré un partícipe consciente en la programación de mi mente.
2. Hoy yo ....

Una mente cerrada es un verdadero enigma. Jamás entra en ella cosa alguna, pero de ella salen constantemente cosas extrañas.

Lawrence Dunphy

... Buenos Hábitos

En el juego de la vida la mayor parte de nosotros buscamos llegar a la cumbre y vivimos y trabajamos con la esperanza de alcanzar una vida fructífera. Para lograr esta meta debemos tener en cuenta que si no adquirimos buenos hábitos conscientemente, adquiriremos malos hábitos inconscientemente. Todos los que han logrado llegar a la cumbre han adquirido el hábito de hacer cosas que no les gustan o que no hacen muy bien.

Es bastante interesante observar que muchas de las características que adquirimos son el resultado de malos hábitos. El miedo es un hábito. También lo son la autocompasión, la derrota, la ansiedad, la desesperación y la desesperanza. Renegar, quejarse y lamentarse son simplemente malos hábitos. Hasta el hecho de ser negativo es un mal hábito.

Estos malos hábitos pueden eliminarse mediante dos sencillas resoluciones (no dije *fáciles;* dije *sencillas). Estas resoluciones son: «Yo quiero» y «¡Yo puedo!» Así que tome esas resoluciones y ¡usted será un vencedor mayor aún en el juego de la vida!*

Pasos de Acción

1. Hoy adquiriré buenas costumbres conscientemente diciéndome a mí mismo: «Yo quiero» y «¡Yo puedo!».
2. Hoy yo ....

Las buenas resoluciones se quebrantan más fácilmente que los malos hábitos.

... los Amigos

Nuestros amigos influyen en nuestra vida, para bien o para mal.

Entre los galardonados en 1979 con premios a los ciudadanos más meritorios de la ciudad de Belleville, Illinois, figuraron cuatro jóvenes de la High School West. Estos jóvenes formaban parte de un grupo de once que, a excepción de uno, habían estado juntos desde la escuela primaria. Es interesante anotar que los once fueron finalistas en dicho concurso, antes de escoger los ocho galardonados. ¡Este es casi el caso más convincente que yo conozca para asociarse con triunfadores!

Todos llegamos a formar parte de nuestro medio ambiente, sea éste bueno, malsano, o indiferente. Ultimamente a esto lo han llamado «presión entre compañeros», que en muchos casos se ha asociado con el consumo de drogas y la promiscuidad sexual. Da gusto ver que la «presión entre compañeros» para descollar y triunfar, ¡está viva y coleando! Si desea triunfar, ¡asóciese con triunfadores!

Pasos de Acción

1. Hoy dedicaré algún tiempo a analizar si yo estoy influyendo en mis amigos o viceversa. También definiré si esta influencia es positiva o negativa.
2. Hoy yo ....

Más de la mitad de lo que somos es producto de la imitación. Es de suma importancia escoger buenos modelos y estudiarlos con cuidado.

Lord Chesterfield

... el Reto

Cuando Winston Churchill terminó su segundo período como primer ministro de Inglaterra, fue invitado a dirigirles la palabra a los graduandos de la Universidad de Oxford. Sir Winston presidía el acontecimiento sentado a la cabecera de la mesa vestido de gala, incluyendo el sombrero de copa, el bastón y el cigarro, que lo caracterizaron.

Después de una presentación larga y tendida, Churchill se dirigió al estrado. Asiendo el atril con ambas manos, se quedó mirando en silencio a su auditorio durante varios segundos, y con voz resonante dijo: «¡Nunca, nunca jamás se rindan!» Hizo otra pausa, más larga, y repitió con mayor énfasis y elocuencia: «¡Nunca, nunca jamás se rindan!» Miró fijamente al auditorio unos instantes y se sentó de nuevo.

Sin lugar a dudas, esta presentación fue el discurso importante más corto de la historia, y, desde luego, uno de los más memorables pronunciados por Churchill.

¡Y veré en la cima a los que tomen en serio el consejo de Winston Churchill!

Pasos de Acción

1. Hoy, «¡nunca, nunca jamás me rendiré!».
2. Hoy yo ....

No se desanime; a menudo es la última llave del llavero la que abre la puerta.

... Lo que Usted Desea

¿Es usted culpable de pedir lo que realmente no desea?

Considero que usted no lo es, pero permítame poner un ejemplo. Le habrá tocado ver a alguien que llega moqueando a la oficina. Al hacerle algún comentario de consideración la persona responde: «He empezado esta mañana, pero mis catarros maduran al tercer día, y entonces sí me dejan de muerte». ¡Esa persona está pidiendo lo que realmente no desea!

Piense en la persona que llega a la oficina con principios de dolor de cabeza; alguien le manifiesta que lo siente, y recibe la siguiente respuesta: «Ahora casi no lo noto. Por lo general, siempre me pasa lo mismo por las mañanas; pero a eso de las tres de la tarde, estoy que me pego un tiro del dolor». La persona está pidiendo lo que no desea.

Hay personas que al acostarse de madrugada dicen: «Apuesto a que voy a amanecer rendido y sintiéndome muy mal». Estas personas son culpables de desear lo que realmente no quieren. Es lamentable usar la imaginación de forma tan negativa, cuando somos capaces de usarla positivamente y lograr lo que realmente deseamos.

Pasos de Acción

1. Hoy sólo meditaré positivamente. Pediré cosas que realmente quiero.
2. Hoy yo ....

El optimismo es la determinación de ver en algo más de lo que hay.

3.
Valor

El valor puede enseñarse de la misma forma que a un niño se le enseña a hablar.

Eurípides

... y Trabajo

Todos podemos llegar a la desesperación extrema y sin embargo, llegar a la cumbre. Carolyn Stradley es un bello testimonio de esta aseveración. Ella ha estado sumida en la extrema desesperación en dos ocasiones: Cuando tenía veintiséis años, siendo una joven esposa y madre, su esposo murió; y cuando tenía treinta y dos años, tres bancos le negaron un préstamo para iniciar su propia empresa.

Ella no se dio por vencida. Se dedicó a trabajar con mayor ahínco, y finalmente logró que una compañía crediticia le concediera un préstamo para empezar su propia empresa constructora. Carolyn se desenvuelve en el campo de la construcción, pero su mente no es como el cemento —definitivamente ¡no es toda revuelta y solidificada para siempre! Ella espera ganar unos cincuenta mil dólares este año. Carolyn es una viajera asidua, bucea y esquía, se va de «camping» con su hija, y le queda tiempo para trabajar doce horas al día. Ella sabe que una idea, un sueño o una filosofía bellísima y práctica no funcionaría si *ella* no trabajara. Mucha gente deja de buscar trabajo apenas consigue empleo. Carolyn Stradley no es ese tipo de persona. Yo apuesto que usted tampoco.

Pasos de Acción

1. Hoy tomaré conciencia de que los demás me pueden frenar temporalmente, pero yo soy el único que me puedo frenar permanentemente.
2. Hoy yo ....

¿Por qué desea usted el privilegio de vivir de nuevo su pasado? Usted comienza una nueva vida con cada amanecer.

Robert Quillen

... para Superar la Derrota

No hay mal que por bien no venga. Analicemos los males en la vida de este hombre:

No terminó la escuela primaria.

Quebró administrando una pequeña tienda rural, y estuvo quince años pagando las deudas.

Trató de ser elegido representante de la Cámara en dos ocasiones, infructuosamente.

La prensa le atacaba a diario.

Medio país sentía desprecio por él.

Tenía varios problemas físicos y era descrito como bastante menos que apuesto.

Cuando ejerció la presidencia, el país vivió la época más sangrienta de su historia.

Incluso cuando pronunció un discurso que se volvió clásico, el público lo recibió con indiferencia o pensó que era demasiado corto.

A pesar de los males citados, imagínese cuántos cientos de miles de seres han sido inspirados durante más de cien años en todo el mundo por este hombre desgarbado, chafado y melancólico llamado Abraham Lincoln.

Lincoln fue un gran hombre que obtuvo grandes logros. A través de todas sus vivencias de derrota muchos factores le infundieron ánimo —quizá su madre y madrastra, más que nadie. ¿Se dará usted por vencido, o escuchará las voces de aliento para sobreponerse a la derrota?

Pasos de Acción

1. Hoy tomaré decisiones basándome en un impacto de largo alcance, no en una ganancia a corto plazo.
2. Hoy estaré consciente de que mis acciones ejercen influencia en otros y, aceptaré esa responsabilidad.
3. Hoy yo ....

¿Qué es una derrota? No es otra cosa que una enseñanza. No es otra cosa que el primer paso hacia algo mejor.

Wendell Phillips

... acerca del Ridículo

Al ver hoy a Clarence Gass, sería difícil creer que en agosto de 1974 despertó ahogándose y convencido de que estaba a punto de expirar. Sin embargo, este ciudadano de cuarenta y un años de edad logró respirar nuevamente.

Su problema de salud ese agosto no era ningún misterio, pues se tomaba veinticuatro cervezas y se fumaba tres paquetes de cigarrillos diariamente. Dejó de utilizar la balanza cuando estaba pesando ciento veinte kilos y tenía una cintura de ciento nueve centímetros. Esa misma mañana, después de tan aterradora experiencia, Clarence se hincó de rodillas y pidió ayuda a Dios.

Dejó de beber y de fumar. Comenzó a caminar, y después a trotar, todas las noches. Al cabo de un año estaba corriendo de siete a ocho kilómetros diariamente. Adelgazó hasta llegar a pesar sesenta y ocho kilos. Su presión bajó de 150 sobre 100 a 120 sobre 72. Hasta la fecha, ha competido en diez maratones.

Según Gass, «se requiere más valor del que ustedes se imaginan para que un gordinflón salga a correr delante de otras personas. Es un proceso lento y hay que tener paciencia; pero es posible. *Usted lo puede hacer.* ¡No se rinda!» Piense esto: hay grandes probabilidades de que el estado físico de usted no sea tan malo ni sus hábitos personales sean tan destructivos como lo eran los de Clarence Gass en 1974. Sin embargo, hay grandes probabilidades de que el estado físico y los hábitos de Gass sean mejores que los de usted hoy en día.

Yo le pregunto a usted: Si Clarence Gass pudo dedicarse a hacer ejercicio y cuidar su salud, ¿qué le impide a usted hacer lo mismo?

Pasos de Acción

1. Hoy me acordaré de pedirle a Dios su ayuda en todas mis actividades.
2. Hoy haré ejercicio de algún tipo, ya sea durante cinco minutos o durante una hora, pero haré ejercicio.
3. Hoy yo ....

Todos los días Dios hace carteras de seda con orejas de cerdo.

... sobre la Desesperación

Un accidente de tráfico diez días antes de su graduación dejó a Shane Vermoort cuadriplégico.*

Toda su vida había soñado con estudiar medicina. Pero ¿acaso era esto todavía posible para un cuadripléjico? ¿O era un sueño del todo imposible?

Shane hizo un año completo de rehabilitación y después asistió a la Universidad de Suthern Illinois, donde recibió un grado en fisiología. Su meta era ingresar en la escuela de medicina, pero había sido rechazado una y otra vez por facultades de medicina a lo largo y ancho de los Estados Unidos.

Por fin, fue aceptado en la Escuela de Medicina de Georgia. Sobresalió en su preparación y recibió el Premio de Neurociencia Clínica, fue elegido presidente de la Sociedad de Honor Médico, y fue el primer estudiante de esa universidad que se graduó en silla de ruedas. Shane dice: «La gente tiene la tendencia a meditar sobre lo que *no* tenemos. Si tan sólo se mirasen al espejo y se concentraran en las cosas *buenas*, vivirían muchísimo mejor».

Shane nos está diciendo que no miremos hacia abajo con desesperanza aquellas cosas que no tenemos sino que levantemos los ojos con esperanza y utilicemos lo que sí tenemos. Esta filosofía le dio resultados a él, y estoy convencido de que será iguamente fructífera para usted.

* Parálisis de las cuatro extremidades (N. del Ed.).

Pasos de Acción

1. Hoy reexaminaré mis cualidades positivas y daré las gracias por el talento y las habilidades que tengo.
2. Hoy yo ....

Espere lo mejor. Prepárese para lo peor. Acepte lo que venga.

... y Creer

El almirante David Farragut, que siempre será recordado por su valor en la Bahía de Mobile en 1864, escuchó con detenimiento mientras el almirante Samuel Dupont exponía las razones por las cuales fracasó en su intento de hacer llegar su flota al puerto de Charleston y ganar la batalla. Cuando Dupont terminó su explicación, Farragut agregó: «Hay una razón más: Usted no *creyó* que podía lograrlo».

Todo el mundo sabía que Glenn Cunningham jamás volvería a caminar, a excepción de Glenn y su madre. Nadie pensó que podría ganar una carrera, excepto Glen y su madre. Se había quemado horriblemente las piernas en un incendio que hubo en el salón de clase. Sin embargo, Glenn volvió a caminar, a correr, y logró convertirse en el hombre más rápido del mundo en la carrera de la milla. Glenn Cunningham creía en sí mismo.

A Sylvester Stallone le dijeron más de cincuenta productores que tenía poca habilidad como escritor. Le dijeron que perdía su tiempo tratando de escribir un guión. Pero a pesar de que casi todos los productores de Hollywood trataron de convencerlo de que no tenía la más mínima esperanza, Sylvester siguió creyendo en sus capacidades. El guión que esos productores rechazaron fue el de *Rocky;* Sylvester Stallone tenía fe en su talento.

Mucha gente y muchos obstáculos podrán interponerse para cerrarnos el paso hacia las metas que nos hemos propuesto, pero todos pueden ser superados. El obstáculo más *devastador* es *nuestra* propia incapacidad de creer. Todos podemos hacer lo que queremos si creemos y estamos dispuestos a trabajar. Shakespeare dijo: «Nuestras dudas son traidores que nos hacen perder a menudo el bien que hubiésemos podido obtener y que perdemos por nuestro miedo de intentar». Conrad Hilton aseveró: «El hombre, con la ayuda de Dios y su propia dedicación, es capaz de cualquier cosa que pueda soñar».

Pasos de Acción

1. Hoy no dejaré que influyan en mí esas personas negativas que podrían imponerme limitaciones.
2. Hoy yo ....

No le tengas miedo a la vida. Cree que vale la pena vivir la vida, y tu creencia ayudará a crear esa realidad.

... y Riesgo

Es una verdad sencilla: todo lo que hacemos conlleva un riesgo.

Cuando conducimos un vehículo, corremos el riesgo de estrellarnos.

Cuando solicitamos trabajo, corremos el riesgo de ser rechazados.

Cuando nos sometemos a prueba para una obra teatral, corremos el riesgo de no obtener el papel.

Cuando entramos a la universidad corremos el riesgo de tener que retirarnos.

Cuando le sonreímos a alguien corremos el riesgo de no ser correspondidos.

Cuando amamos, corremos el riesgo de ser rechazados y de sufrir.

Cuando hablamos, corremos el riesgo de no ser escuchados.

Cuando estamos esperanzados, corremos el riesgo de perder la esperanza.

Cuando soñamos, corremos el riesgo de parecer idiotas.

Cuando escalamos, corremos el riesgo de caer.

He notado una característica común a casi todas las personas que han triunfado y que conozco: es el *coraje para arriesgarse a fracasar.* El ensayo conlleva la posibilidad del fracaso; pero ¿qué otra alternativa hay? No hacer nada, no tener nada, y no ser nada. Cuando usted no hace nada, evita el fracaso, pero también impide el éxito. Cualquier cosa de importancia implica riesgo; si no hace el ensayo, no hace nada. No tema buscar la realización de sus sueños. Como dijo en cierta ocasión Will Rogers, «Hay que arriesgarse a trepar a las ramas más delgadas, ¡porque allí se encuentra la fruta!».

Pasos de Acción

1. Hoy me arriesgaré a elegir uno de los diez riesgos sencillos enumerados anteriormente. Hoy elijo ....
2. Hoy yo ....

Las desventuras más difíciles de soportar son por lo común las que nunca suceden.

James Russell Lowell

... y Seguridad

A menudo debemos elegir entre la seguridad y un toque de aventura. La seguridad es a veces buena, pero los retos también traen su recompensa.

Hace poco vi un velero cuyas velas estaban colgando de los mástiles, flojas y sin vida. La nave no se movía, fondeada sobre la mar límpida y tranquila de la bahía; estaba segura pero no se dirigía a parte alguna.

Los seres humanos son así. Podemos permanecer a salvo en la bahía, viviendo sin desafíos ni peligros, o por el contrario, izar nuestro velamen, enfrentarnos al mar, dejar atrás cierta seguridad y tranquilidad, y conseguir el mundo. La persona que acepta el reto y está dispuesta a sacrificar algo de su seguridad es la persona que se desplaza de un lugar a otro. Mientras el velero no tense con el viento sus velas, permanecerá indefinidamente inmóvil en el puerto.

Los hombres fuimos creados para desplegar las velas y explorar nuestras capacidades. No nacimos para permanecer totalmente resguardados y estacionarios. Debemos recordar que el hombre y la naturaleza son diametralmente opuestos en cierto aspecto: Agotamos los recursos naturales usándolos; y agotamos los recursos naturales del hombre no usándolos en absoluto. Esto podría explicar por qué Oliver Wendell Holmes señaló que la gran tragedia de los Estados Unidos es que la mayoría de la gente lleva su música silenciosa en su interior hasta la tumba. Yo le aconsejo a usted que despliegue las velas, reciba la fuerza del viento, utilice su talento, y deje que brote la música de su interior. ¡Lo veré en la cima!

Pasos de Acción

1. Hoy utilizaré mis recursos naturales y me saldré de la «zona de comodidad».
2. Hoy yo ....

El hombre superior siempre piensa en la virtud; el hombre vulgar piensa en la comodidad.

Confucio

... y la Apariencia

Yo utilicé en mi libro *Nos vemos en la cumbre* la historia de Phyllis Diller como fuente de inspiración para mis lectores, y me fue difícil entender que ella había celebrado sus sesenta y cuatro años recientemente. Me contó que había encargado cuatro pasteles porque las velas no cabían en uno solo. Dice que este problema ya lo tiene solucionado. De ahora en adelante no va a cumplir años sino a perderlos.

Esta singular comediante ha llegado muy lejos desde la época en que toda clase de cobradores trataban de invadir su casa, mientras ella luchaba por mantener tres hijos. Esta representante cómica, al parecer despreocupada, nos deja atisbar su alma cuando habla de la cirugía plástica que se hizo en la cara. Dice que ahora es más bonita que cuando nació. Bob Hope dice que era tan fea cuando nació, que ¡el médico no le dio la palmada a ella sino a su progenitora! Hablando en serio, ella dice que la cirugía no afectó en nada a su carrera, pero que sí cambió su vida personal. «Me siento mejor porque cuando uno se ve bien el alma se regocija».

Las personas bien vestidas que atienden ventas telefónicas como si fueran a ver a su clientela cara a cara, logran mayores ventas que las que se visten deportivamente. Los profesores de corbata y las profesoras de falda son más eficientes que los que usan camisa abierta o pantalones; los estudiantes formalmente vestidos aprenden más que el grupo de las camisetas y vaqueros; por lo general les va bien a quienes se visten con esmero. Es posible que usted no necesite cirugía plástica, pero si hace todo lo posible por parecer bien, se sentirá bien y ¡además próspero!

Pasos de Acción

1. Hoy me esmeraré en mi apariencia personal.
2. Hoy yo ....

Oh, ¡si algún poder nos diera el don de vernos como nos ven los demás!

Robert Burns

... y Entereza

Yo creo que entereza es enfrentarse valerosamente a la adversidad. Ryven Ezinga, de Grand Rapids, Michigan, se retiró de su carpintería donde era el único artesano, en 1972. Pero hasta el día de hoy se mantiene ocupado en el sótano de su casa, donde fabrica bases de madera para macetas de violetas africanas, utilizando todo tipo de equipos eléctricos.

No es extraño que un capintero retirado siga ejerciendo su oficio, aunque ya sea un septuagenario. Sin embargo, Ryven Ezinga quedó totalmente ciego hace dos años. Pero la falta de vista no le ha impedido hacer lo que siempre le ha gustado. El señor Ezinga diseña, construye y termina todo tipo de muebles en su taller, utilizando aparatos eléctricos, tales como sierras, tornos, pulidoras y formones. Además, hace poco inventó una serie de instrumentos de medición en Braille, que serán una ayuda valiosa para otros en iguales circunstancias, en años venideros. Todos estos logros son un estímulo para Ryven Ezinga, un hombre que no se dio por vencido.

Me encanta la historia de la vida real de Ryven Ezinga por dos razones primordiales: La primera, porque este hombre, símbolo viviente del pensamiento positivo, es el padre del presidente de la Corporación Zig Ziglar, Ron Ezinga. La segunda, porque Ryven Ezinga vive con entereza. Ha respondido ante la adversidad con valor y con creatividad.

Pasos de Acción

1. Hoy tendré en cuenta que si respondo con valor ante la adversidad, mis oportunidades se multiplicarán.
2. Hoy yo ....

Siempre vamos a hacer mejor las cosas mañana, todos nosotros. Y, ciertamente, así sería si tan sólo empezáramos hoy.

... y Penalidades

Hay una bella escultura en México que lleva el extraño nombre de *A pesar de todo.* Fue bautizada así como tributo al escultor y no como reflejo de su temática en piedra. Esta es la historia. Resulta que el escultor perdió su mano derecha a causa de un accidente, por la época en que estaba esculpiendo la obra. Pero el artista estaba tan empeñado en terminarla que aprendió a tallar con la mano izquierda. Es así como la obra llegó a llamarse *A pesar de todo;* el artista, a pesar de su impedimento, la llevó a feliz término.

A pesar de su ceguera, Milton escribió. Beethoven compuso música a pesar de su sordera. A pesar de ser ciega y sorda, Hellen Keller pronunció discursos. Renoir pintó a pesar del reumatismo que le invadió las manos. El escultor mexicano terminó su obra con la mano izquierda, a pesar de haber perdido la derecha.

A pesar de haber sido ciegos, sordos, paralíticos, viejos, artríticos, pobres, jóvenes, perseguidos, o poco instruidos, los hombres han vencido, han descollado, han logrado, han triunfado. *Usted también lo puede hacer.* Alcance sus metas a pesar de los problemas y penalidades ¡y lo veré en la cima!

Pasos de Acción

1. Hoy venceré .... a pesar de ....
2. Hoy yo ....

El carácter puede manifestarse en los grandes momentos, pero se forma en los pequeños.

Philips Brooks

... y Ayudar a Otros

En 1977, la revista *Guideposts* narró la historia de un hombre que se hallaba de excursión por las montañas. Le sorprendió una tormenta de nieve y en poco tiempo se extravió. Como no estaba vestido para resistir los rigores del tiempo, sabía que tenía que encontrar refugio rápidamente o de lo contrario moriría congelado. A pesar de todos sus esfuerzos, el tiempo transcurrió, y se le entumecieron los pies y las manos. Sabía que su vida pendía de un hilo.

Después tropezó, literalmente, con un hombre que estaba casi congelado, a punto de morir. El caminante tenía que tomar una decisión: seguir adelante con la esperanza de salvar su propia vida, o quedarse y tratar de salvar al otro hombre.

En un instante tomó su decisión y se quitó los guantes. Se arrodilló junto al hombre y comenzó a darle masajes en las manos y los pies. El hombre respondió al tratamiento, y pudieron seguir adelante juntos hasta encontrar ayuda.

A nuestro héroe le informaron posteriormente que ayudando al otro se *había ayudado a sí mismo.* El entumecimiento que le había invadido los miembros desapareció mientras le daba masajes al extraño que había encontrado. Cada día me convenzo más de que la mejor forma de llegar a las cumbres de la vida es ayudando a los demás a llegar a sus mesetas.

Pasos de Acción

1. Hoy yo ayudaré a .... con .... y al
   (nombre)
   prestarle este servicio, nos beneficiaremos ambos.
2. Hoy yo ....

Vivir y dejar vivir no es suficiente; vivir y ayudar a vivir no es demasiado.

Orin E. Madison

... y las Puertas Cerradas

Casi todos soñamos con tener un negocio propio. Eldon Kamp había estado estudiando esa posibilidad durante mucho tiempo cuando se lastimó de gravedad en el desempeño de su trabajo como capitán de gabarra en el río Mississippi. Temía que el accidente significara el fin de su negocio. Después de una intervención quirúrgica dolorosa y una convalecencia que duró varios meses, el futuro se veía bastante oscuro.

Pero Eldon siempre había tenido facilidad para trabajar la madera. Comenzó a fabricar gabinetes en sus momentos de ocio. Talló algunas piezas para la nueva casa de un amigo. Quedaron tan bien ejecutadas, que muy pronto recibió otro pedido, seguido de un tercero. Al poco tiempo, Eldon hubo de contratar un ayudante para poder dar cumplimiento a los pedidos de ornamentaciones talladas para residencias recién construidas. En la actualidad, Eldon cuenta con seis empleados a tiempo completo en su fábrica de gabinetes y tallados de madera, e inició un nuevo negocio: prestar servicios de portería en los edificios de su vecindario.

El accidente que sufrió Eldon Kamp acabó con su carretera de capitán de gabarra, pero lo lanzó a lo que parece será una novedosa carrera que le ofrecerá mayores éxitos. A menudo sucede que cuando se cierra una puerta, se abre una ventana —¡pero hay que buscar esa ventana!

Pasos de Acción

1. Hoy buscaré esas oportunidades que siempre acompañan los momentos de adversidad.
2. Hoy yo ....

Quien no arriesga nada ¡no logra nada!

... y la Adversidad

La vida es lo que cada cual haga de ella. Dicho de otra forma, usted no puede cambiar las cartas que le dio la vida, pero puede decidir cómo las jugará.

Recién ingresada en la Universidad de Florida, Wendy Stoeker, de Cedar Rapids, Iowa, quedó clasificada en el tercer puesto en el campeonato estatal de natación, en la especialidad de saltos de trampolín. Perdió el primer lugar por dos puntos y medio. Cuando nadaba como suplente en el altamente competitivo equipo de la Florida, Wendy tenía una carga académica muy pesada como alumna de primer año en la universidad.

Wendy parece ser una joven universitaria feliz y positiva, que puede lograr lo que se propone, ¿no es verdad? Así es. Realmente, Wendy ha logrado hacer de su vida lo que ha querido, aunque nació sin brazos. Wendy no tiene brazos, y sin embargo juega a los bolos, practica esquí acuático y escribe a máquina más de cuarenta y cinco palabras por minuto. Está estudiando para ser fisioterapeuta, y apuesto doble a sencillo que lo logrará.

Deseo alentar a mis lectores para que sigan el ejemplo de Wendy Stoeker, y piensen positivamente acerca de lo que quieren de la vida, sin importar los obstáculos. Recordemos que la vida es lo que queramos hacer de ella.

Pasos de Acción

1. Hoy me concentraré en lo que puedo hacer, en vez de hacerlo en lo que no puedo hacer.
2. Hoy yo ....

El éxito nunca es final, y el fracaso jamás es fatal. Lo que cuenta es el coraje.

... y Control

Llegó a la Liga Profesional de Fútbol Americano en 1961. El informe de los «caza-talentos» dejaba mucho que desear, pero él era el único que no les creía.

El informe decía: «Demasiado pequeño para delantero, demasiado lento y débil: no es apto para recibir castigo». Después de leer ese informe redactado por expertos, cualquiera pensaría que ese joven lo que debía hacer era conseguir un buen trabajo estable lejos del mundo rudo y violento del fútbol profesional. ¿Cómo se sentiría usted si ese informe se refiera a usted personalmente?

El joven de Georgia, objeto de ese informe, era una persona muy decidida. No sólo ingresó en el equipo sino que se convirtió en su delantero titular al poco tiempo. Además adquirió fama de tirador y gambeteador excelente. En realidad, Fran Tarkenton no sólo ha sido el delantero que durante más tiempo ha jugado en la Liga Nacional de Fútbol sino el que durante más tiempo ha jugado —por amplio margen— en la historia de este deporte. Fran Tarkenton, del equipo Minnesota Vikings, es uno de los más grandes del fútbol americano de todos los tiempos.

No se desespere si recibe un informe negativo de los caza-talentos. Después de todo, usted es el que decide lo que hará con sus habilidades.

Pasos de Acción

1. Hoy ejerceré el control de mi futuro y elaboraré mi propio informe de caza-talentos.

   Hoy yo ....

Yo no tengo un radar económico para penetrar en el futuro; pero éste puede ser como deseamos que sea. De eso estoy seguro.

Bernard M. Baruch

... y Belleza Interior

Hay por lo menos una Miss América que piensa que la belleza interior es tan importante como la exterior. Donna Axum se crió en un pequeño pueblo de Arkansas, y, como muchas adolescentes, era muy, pero muy tímida e insegura de sí misma. Donna no se veía como reina de belleza; en realidad, estaba convencida de que era poco atractiva. Pero Donna poseía algo que comprobó ser mucho más poderoso que la mera belleza física: un brillo y un encanto internos, un resplandor que ella creía se podría sacar a la superficie.

Decidió tratar de hacer brotar su «belleza interior». Después de varios meses de ejercitarse físicamente y de aprender las disciplinas de los reinados, tales como caminar y posar, se inscribió en un concurso de belleza. Donna no ganó el primer concurso, pero no se desanimó. Se inscribió en un concurso tras otro, hasta que al fin, después de dieciséis intentos, fue elegida Miss Arkansas. Posteriormente, fue elegida Miss Estados Unidos. Ese mismo brillo interno, ese encanto y una buena cantidad de trabajo la han convertido en una oradora de gran éxito y una personalidad de televisión, ahora con su propio programa.

Pero la verdadera buena noticia es que hay en cada uno de nosotros una presencia, un brillo interno. Es posible que el hecho de hallar la belleza interna que hay en usted no lo convierta en un Mister Universo o en una Miss Mundo, pero sí lo convertirá en un triunfador.

Pasos de Acción

1. Hoy me dedicaré a hacer brotar mis «cualidades internas» positivas, para lograr una mayor eficiencia. Algunas de mis mejores cualidades internas son .... y .... y ....
2. Hoy yo ....

El hombre que se reforma a sí mismo ha contribuido cabalmente a la reforma de sus vecinos.

Norman Douglas

... y Rigor

Brian Taylor es un muchacho de nueve años que recogió cien dólares a beneficio de la Liga Norteamericana contra el Cáncer haciendo un recorrido en bicicleta de unos ciento sesenta kilómetros. Esta hazaña es más que meritoria; pero es todavía más asombrosa, si tenemos en cuenta que a Brian le falta una pierna.

No fue fácil para Brian montar en bicicleta. Tuvo que rogarle a su mamá para que le diera la oportunidad de aprender. Ella sufrió mucho, pues Brian se cortó, se golpeó y se raspó durante su aprendizaje, además de convertir en chatarra dos bicicletas nuevas. Para montar en bicicleta, Brian tuvo que hacer grandes esfuerzos y recurrir a su ingenio.

Finalmente, Brian se amarró el pie al pedal con una correa, para evitar que éste se le resbalase. Hoy monta como todo un profesional. La prueba de ello es que participó en el cicla-ton de ciento sesenta kilómetros. ¡Es sorprendente lo que uno puede hacer cuando tiene el deseo! No le fue fácil a Brian hacer lo que hizo.

La verdad es que en la vida hay rigor, pero también hay recompensas, especialmente cuando nos tratamos con rigor nosotros mismos. Haga suya una página del libro de Brian Taylor; siga pedaleando y ¡lo veré en la cima!

Pasos de Acción

1. Hoy tendré más rigor conmigo mismo, porque yo sé que si continúo trabajando ¡puedo ganar!
2. Hoy yo ....

El valor no es la ausencia de miedo. Es oponerle resistencia al miedo, dominarlo.

... y Obstáculos

Geri Jewell es una jovencita de veinticuatro años que sufre de parálisis cerebral aguda, y sin embargo, es una de las nuevas y rutilantes estrellas de Hollywood. ¿Cómo lo logró?

Geri tiene mucho valor. De pequeña tuvo un sueño; se veía a sí misma caminando erecta, libre de su parálisis cerebral, ataviada con un bello vestido de noche. Geri se aferró a su sueño, y se dedicó a trabajar para convertirlo en realidad. En algún recodo de su largo camino decidió convertirse en actriz cómica.

Obviamente, tenía que vencer muchos obstáculos. Al comienzo, le fue muy difícil lograr que la tomaran en serio como artista, pero ella persistió en su empeño. Inició sus actuaciones en el Almacén de la Comedia de los Angeles, sin cobrar un centavo. Esa primera noche fue difícil, pero Geri utilizó su enfermedad con buen provecho. Rápidamente se ganó el favor del público, al que hizo gozar con su maravilloso sentido del humor. Fue todo un éxito, y a la semana siguiente estaba de vuelta como invitada.

Geri se ha presentado en numerosos programas de televisión, y tiene la posibilidad de escoger los papeles que desea. Como la mayoría de las personas que triunfan en su profesión, Geri llegó a la cumbre porque se vio a sí misma con «el ojo de la mente» haciendo lo que realmente quería. Su mente pintó el cuadro y ella con trabajo tesonero lo completó.

Pasos de Acción

1. Hoy utilizaré los obstáculos como puntos de apoyo en lugar de que sean objetos de tropiezo.
2. Hoy yo ....

Nunca le digas a un joven que algo no se puede hacer. Tal vez Dios ha estado esperando durante siglos la aparición de alguien lo suficientemente ignorante acerca de lo imposible para que haga precisamente eso.

Dr. J. A. Holmes

... y Milagros

Le dijeron cuando tenía once años que no volvería a caminar. A los veintidós desfiló por la pasarela con la corona de Miss América sobre sus sienes.

Cheryl Prewitt de Mississippi, Miss América 1980, tuvo un accidente automovilístico a los once años. Su pierna quedó aplastada y el cirujando tuvo que darle más de cien puntos. Los médicos le dijeron que no volvería a caminar. La pierna lastimada eventualmente sanó, pero le quedó más corta que la pierna derecha.

Sin embargo, en una reunión de un grupo carismático varios años después, ella vio cómo su pierna más corta «¡creció cinco centímetros instantáneamente!» Ella asegura que volvió a caminar debido a un «Milagro de Dios», pero un milagro parec ido era y es su bella actitud ante la vida.

Cheryl hubiera podido darse por vencida; muchos otros lo hubieran hecho. Pero, ¿de dónde sacó esa actitud tan bella y ese sentido de orientación tan maravilloso? Es interesante anotar que un trivial incidente anterior a su accidente, ejerció un influjo directo en los logros de su vida. Cuando tenía cinco años, el lechero entró al almacén rural de su familia, se quedó mirándola y le dijo que llegaría a ser Miss América. Cheryl lo tomó en serio. De un solo pensamiento poderoso y positivo, se desarrolló una actitud positiva, y así nació Miss América 1980.

La palabra es la fuerza más poderosa del mundo. Palabras positivas de amor, esperanza y estímulo pueden llevar a las personas a nuevas alturas. Palabras negativas de frustración, odio y vulgaridad pueden perjudicar enormemente a un ser humano. Así que mucho cuidado con lo que dicen, amigos.

Pasos de Acción

1. Hoy sólo le diré palabras positivas y amables a .... y a ....
2. Hoy yo ....

No era linda pero hubiera podido ser hermosa si alguien le hubiera dicho a menudo que era linda.

J. B. Priestley

... y Labores Difíciles

Aceptó el lugar que los demás no querían y llegó a ser el mejor. Como jugador de béisbol era el mejor en su posición; era un líder en la cancha y un poderoso bateador que también mantenía un gran promedio. Pero desafortunadamente, un trágico accidente truncó su carrera y lo dejó semiparalítico en una silla de ruedas hasta el fin de sus días. Durante su corto período en el terreno de juego acumuló suficientes triunfos como para ingresar al Atrio de la Fama del Béisbol. Desde luego, estoy hablando de Roy Campanella; el gran *catcher* de los Dodgers de Brooklyn.

La pregunta que brota de los labios es: ¿Por qué llegó a ser *catcher* Roy Campanella? Es una posición difícil, y encima peligrosa. La respuesta es sencilla y además ilustrativa: Cuando Campanella fue llamado a las prácticas de selección para el equipo de su colegio, el entrenador comenzó a separar a los jugadores por posiciones en la cancha. Roy se dio cuenta de que no había nadie en la posición de *catcher* y vio de inmediato que obviamente cualquiera que deseara realmente jugar, podría tratar de ocupar esa posición con grandes posibilidades de éxito.

Como Roy tenía muchos deseos de jugar al béisbol, decidió volverse *catcher.* Trabajó con dedicación, se convirtió en el mejor jugador del equipo y sentó las bases de su carrera deportiva. ¿Y qué sucedería con sus compañeros de equipo? A esos muchachos que rechazaron la posición de *catcher* porque querían lo lugares de mayor brillo, jamás los he oído mencionar. ¿Y usted?

Roy Campanella aceptó una posición poco atractiva, y la desempeñó muy bien. Si usted acepta labores difíciles, ésas que nadie quiere hacer, y las lleva a cabo bien, el éxito será suyo.

Pasos de Acción

1. Hoy me haré cargo de cuanto trabajo se presente y lo llevaré a cabo a conciencia.
2. Hoy yo ....

Dirige la mirada hacia el Sol y las sombras quedarán atrás.

... y Talento

El maravilloso libro de Peter Strudwick, *Ven a correr conmigo,* trata de carreras atléticas. Pero mucho más importante aún, trata de la vida. Desde 1969, cuando empezó a correr en serio, Peter ha recorrido casi treinta y dos mil kilómetros en maratones y entrenamientos. Ha participado tres veces en el maratón de Pile Peak. Actualmente está entrenando para un maratón que se realizará en la cima del Kilimanjaro, en Africa.

Su historia es una de las más increíbles del mundo deportivo. Lo insólito de esta historia es que Peter nació con piernas que terminan en muñones a la altura de los tobillos; tiene una mano con sólo dos dedos; el otro brazo termina en la muñeca.

Peter Strudwick, llamado cariñosamente «Pete» por sus amigos, ha realizado proezas físicas de resistencia que sobrepasan toda lógica. Su historia les sirve de inspiración a todos los que la conocen. Con toda certeza, debemos considerar que si Pete ha podido hacer lo que ha hecho con lo que tiene, todos nosotros podemos hacer *más con lo que tenemos. Gracias, Pete, por ser una fuente de inspiración para todos nosotros.*

Pasos de Acción

1. Hoy meditaré sobre el valor de Peter Strudwick y agradeceré todos los beneficios que he recibido.
2. Hoy yo ....

El mundo pierde una gran cantidad de talento por falta de un poquito de coraje. Todos los días envía al cementerio hombres desconocidos cuya timidez les impidió hacer un primer esfuerzo.

Sidney Smith

... y Una Persona

¿Podrá un solo estudiante modificar algo en un colegio grande?

Laurie Cox, del Colegio Coronado de Scottsdale, Arizona, manifestaba ardientemente que todos los estudiantes debían saludar la bandera y hacer un juramento de fidelidad. Estaba convencida de que si los estudiantes honraban la bandera diariamente, estarían dispuestos a defenderla, de presentarse la ocasión.

El director y sus profesores no estaban tan convencidos de su planteamiento. Su novio estaba horrorizado. Pero Laurice estaba decidida. Con gran esfuerzo, promovió una petición que fue firmada por más de tres mil personas. Desde entonces todos los estudiantes del Colegio Coronado le rinden honores a la bandera y hacen juramento de fidelidad a la patria.

Fue Laurie quien echó a rodar la bola, pero fueron tres mil estudiantes quienes manifestaron que *querían* demostrar su patriotismo y su amor al país. Necesitaban un líder, que los obligara a comprometerse y diera el primer paso.

La próxima vez que esté deprimido por causa de usted mismo, por su país, o por la gente joven, anímese y piense en esos tres mil estudiantes de Scottsdale y en su líder, Laurie Cox.

Pasos de Acción

1. Hoy recordaré que puedo ser un líder que motiva a los demás para que den el primer paso en forma positiva.
2. Hoy yo ....

Nada pone de manifiesto mejor la personalidad de un hombre, que las cosas que lo hacen reír.

Johann Wolfgang von Goethe

... y la Desventura

Una operación quirúrgica le cercenó los pies a Darlene Loucks, y paradójicamente la puso a caminar. Esta es la historia:

Darlene sólo terminó quinto de bachillerato, y se casó a los quince años de edad. Trabajaba como camarera para mantener a sus ocho hijos, cuando tuvo que someterse a una operación. Le era imposible trabajar en un oficio que requiriera estar de pie durante varias horas, de modo que le era imperativo encontrar otra fuente de ingresos. Su educación y su experiencia empresarial eran mínimas, pero como la mayoría de nosotros, ella sabía que tenía alguna destreza susceptible de comercialización utilizando un poco de imaginación. Después de larga meditación, desempolvó su máquina de coser y se puso a trabajar.

Darlene se puso en contacto con un fabricante de prendas de vestir y lo convenció de que era capaz de crearle un bello muestrario para sus salas de exhibición. Así fue, y la idea tuvo tanta acogida que numerosos fabricantes también solicitaron sus servicios.

Hoy, Darlene cuenta con veintisiete empleados, y su empresa sigue progresando. Además, se volvió a levantar, por lo menos financieramente. Su historia es la manifestación óptima de la libre empresa en los Estados Unidos; debe llevarnos a pensar que si Darlene Loucks pudo hacer tanto con sus problemas, nosotros podemos hacer mucho más con nuestras oportunidades.

Pasos de Acción

1. Hoy estaré un tiempo «en marcha» y otro «de rodillas», agradeciendo mis probemas.
2. Hoy yo ....

Quien aspire a la grandeza no debe imaginarse que todo está perdido por un solo caso de mala suerte.

Arzobispo Venn

... y Personalidad

La personalidad, según Cavett Robert, es la capacidad de llevar a cabo un buen propósito mucho después de que la emoción del momento ha pasado. La personalidad es una cualidad invaluable en un mundo que está condicionado para creer que no vale la pena tomar parte en ninguna actividad a menos que parezca buena, huela bien, tenga buen sabor, o pueda calificarse de divertida.

En este libro me he permitido utilizar muchos adjetivos calificativos, tales como *estimulante, divertido, emocionante,* pero jamás me habrán oído decir que lograr el éxito es *fácil.* Para obtener los premios que ofrece la vida, en muchas ocasiones es necesario tener una gran capacidad de resistencia hasta que pase la tormenta.

Winston Churchill expresó este concepto con gran elocuencia cuando pronunció su memorable discurso radiofónico ante la «Batalla de Inglaterra». Este discurso salvó a Inglaterra en el momento más crítico de su historia, y de paso al mundo libre. Churchill les dijo a sus compatriotas que se necesitaba sangre, fatiga, sudor y lágrimas para derrotar al enemigo. No les dijo que la batalla sería fácil, sino que les prometió la victoria final.

Yo les prometo lo mismo. Si ustedes tienen la suficiente personalidad para resistir la tormenta, sin lugar a dudas desarrollarán las demás características necesarias para triunfar en el juego de la vida.

Pasos de Acción

1. Hoy enfrentaré hasta el final esas situaciones difíciles que se presentan.
2. Hoy yo ....

La personalidad es la capacidad de llevar a cabo un buen propósito mucho después de que la emoción del momento ha pasado.

Cavett Robert

... y Enfermedad

Es posible que lo siguiente parezca insólito, pero la polio, la pulmonía y el tener que pasar doce horas del día en un pulmón de acero pueden equivaler a un rotundo éxito. Richard Chávez, ciudadano de treinta y seis años de edad, es el portavoz de las Personas Minusválidas de América. Es un mexicano-americano oriundo de Los Angeles, que contrajo polio y pulmonía cuando tenía cinco años.

Sin embargo, fundó una de las escuelas de entrenamiento más novedosas que hay en los Estados Unidos, destinadas a las personas impedidas y minusválidas.

Además de sus impedimentos personales, Chávez ha superado la pobreza, la barrera del idioma, y diez años de rechazos laborales y humillaciones.

Su instituto, que funciona desde 1983, ha entrenado a más de seis mil personas, entre ellas desertores escolares, ex convictos, enfermos mentales, ex drogadictos y alcohólicos. Más del ochenta y ocho por ciento de sus estudiantes, satisfechos consigo mismos y con sus capacidades, se despiden de Chávez para ingresar en puestos de trabajo permanentes, sin subsidio alguno. ¡Esto es algo asombroso!

Me descubro ante Richard Chávez. No hay duda de que si él, con tantas adversidades, puede remover sus montañas personales y convertir su vida en un triunfo, los demás podemos remover los hormigueros que hallamos en el camino hacia nuestras metas.

Pasos de Acción

1. Hoy consideraré mis montañas como nada más que hormigueros, y tomaré las medidas para reducirlos a su mínima expresión.
2. Hoy yo ....

Quien incuba sus problemas, tendrá una cría completa.

... Contra Todas las Predicciones

El joven adolescente quedó desconcertado. El dictamen médico era categórico: «Usted no puede jugar al fútbol, ni al béisbol, ni participar en las actividades atléticas que normalmente practican los jóvenes de su edad». Pero todos los días el joven los pasaba junto a una cancha de golf. Comenzó a pensar que *tal vez* él podría hacer eso, pero el médico fue tajante: «¡Entienda de una vez por todas que usted no puede jugar al golf utilizando muletas!».

A pesar de todo, el joven comenzó a frecuentar la cancha de golf, y a utilizar un carrito de motor que le llevaba hasta donde estaba la bola; para darle a ésta, dejaba las muletas. Esta actividad se volvió hábito hasta que un buen día se dio cuenta de que sus piernas habían adquirido mayor firmeza.

Con el transcurso del tiempo, nuestro golfista persistente abandonó el carrito y abandonó las muletas. En 1978, después de años de esfuerzo persistente, paciente y optimista, Andy North ganó el Torneo Abierto de Golf de los Estados Unidos. Este muchacho, que según los médicos jamás podría hacer deporte, triunfó; no porque tuviera una gran habilidad atlética innata, sino por su esfuerzo paciente y sostenido y por su firme convicción de que con pertinacia triunfaría. Andy North es un ganador, y *usted* también puede serlo con trabajo pertinaz.

Pasos de Acción

1. Hoy tendré en cuenta que si Andy North pudo lograr sus metas, a pesar de que una enfermedad ósea lo redujo a la invalidez, yo también puedo lograr mis metas.
2. Hoy yo ....

Deje sus temores para usted solo, pero comparta su coraje con los demás.

Robert Louis Stevenson

... y Destreza

Usted habrá oído decir una y mil veces que cualquier cosa que valga la pena hacerse vale la pena hacerla bien. Pero Steve Brown de Atlanta, Georgia, dice: «Cualquier cosa que valga la pena hacerse, vale la pena hacerla mal». Explica que si hay alguna cosa que valga la pena hacerse, es preciso entender que hay que invertir tiempo y esfuerzo para hacerla bien. Por tanto, es probable que nuestros resultados iniciales dejen bastante que desear. Pero aunque estos resultados iniciales no sean muy buenos, el estudio de nuevos métodos, procedimientos y técnicas para llevar a cabo una mejor labor, junto con un interés por mejorar nuestra destreza, puede llevarnos a progresar cada día más, hasta llegar a ser muy eficientes.

Permítanme esbozar el planteamiento una vez más. Cualquier cosa que valga la pena hacerse, vale la pena hacerla mal. Comencemos con lo poquito que sabemos y con lo que tenemos, y hagamos lo mejor posible. Puede que el resultado no sea la obra de un profesional, pero si perseveramos y aguzamos nuestras destrezas, con mucho trabajo y práctica, podremos llegar a realizar un trabajo bueno, e incluso profesional.

Pasos de Acción

1. Hoy procuraré tener en cuenta que cualquier cosa que valga la pena hacerse, vale la pena hacerla mal hasta que aprenda a hacerla bien.
2. Hoy yo ....

¡Por milla es pesadilla; por yarda es una carga; por pulgada no es nada!

... y el Goleador

Steve Littler era un competidor acérrimo en la cancha de juego, y ahora está librando una batalla de otra clase. Steve logró igualar la marca de goleadores de la NCAA mientras jugaba con la Universidad de Arkansas y fue seleccionado en 1978 por los Cardenales de San Luis. Desde que ingresó en el equipo quedó sometido a tremendas presiones, y aunque tuvo momentos brillantes (como cuando logró dos goles olímpicos contra los Cowboys de Dallas) y luchó, finalmente le dieron su puesto a otro jugador.

Tan sólo ocho horas después de ser despedido del equipo, Steve se vio envuelto en un accidente de tráfico que lo dejó paralizado de la nuca a los pies. Ahora está librando una batalla mucho más seria que las que libró como jugador de fútbol. ¿Será acaso un hombre amargado? ¡De ninguna manera! Por el contrario, está demostrando que es campeón por su magnífica actitud. Está convencido de que sacará de esta situación el mejor provecho posible y de que la forma de enfrentar su reto les servirá de inspiración a otros que padecen tragedias similares.

Steve Little está luchando. Sabe que posiblemente no vuelva a caminar, pero su valor, su actitud y su deseo de ayudar a otros le han convertido en un verdadero triunfador. Hay ciertos acontecimientos de la vida que no podemos modificar, pero nosotros sí tenemos la última palabra ¡cuando de afrontar esos acontecimientos se trata!

Pasos de Acción

1. Hoy enfrentaré mis batallas teniendo como inspiración a Steve Little.
2. Hoy yo ....

La actitud correcta y un solo brazo siempre derrotarán a una actitud equivocada y a dos brazos.

David Schwartz

... y La Edad

Si hubiésemos sido hinchas del béisbol en 1936, posiblemente habríamos oído hablar de Hub Kittle, un lanzador que jugaba en las ligas menores de los Estados Unidos. También existe la posibilidad de que nuestros nietos hubieran oído hablar de este mismo lanzador en el decenio de los 80. ¡No hay equivocación! Hub Kittle es el único hombre todavía vivo, que ha lanzado en partidos profesionales de béisbol durante seis decenios.

Kittle inició su carrera en 1936 con los Clubs de Chicago. Fue lanzador en las ligas menores hasta principios de los años 50, cuando decidió que era hora de retirarse. Pero su amor por el deporte lo mantuvo vinculado al béisbol; se convirtió en uno de los mejores entrenadores de lanzamiento en esta disciplina, a nivel profesional.

En 1969, cuando actuaba como entrenador del equipo Savannah de Georgia, una escasez de lanzadores le obligó a jugar. En 1973, mientras actuaba como entrenador de lanzamiento en el equipo de los Astros de Houston, el gerente del equipo Leo Durocher lo sacó al campo de juego para que protegiera la carrera de ventaja que les llevaban a los Tigres de Detroit, en un partido de exhibición. Hub les impidió a los Tigres empatar el partido.

Tuvo la oportunidad de volver al montículo una vez más en 1980. A la temprana edad de sesenta y tres años, cuando desempeñaba el cargo de entrenador de lanzamiento en el equipo de los Redbirds de Springfield, Hub Kittle lanzó durante una entrada. En ese momento se convirtió en el primer hombre en la historia del béisbol que ha jugado durante seis decenios consecutivos. Hub Kittle le ha dado actualidad a ese viejo dicho que reza: «Uno es tan viejo como cree serlo».

Pasos de Acción

1. Hoy usaré mi edad como una ventaja y no como una excusa.
2. Hoy yo ....

No es por las canas como se conoce la edad del corazón.
Edward Bulwer-Lytton

4.
Metas...

El éxito se compone de una serie de pequeñas victorias diarias.

... y Retos

La vida es lo que de ella hacemos. El 4 de junio de 1983, las agencias informativas UPI y AP publicaron historias de mucho contenido humano acerca de los grados académicos. Ambos relatos reafirman el principio de que la vida es lo que de ella hagamos.

La AP narró la historia de Dung Nguyen. Cuando llegó a los Estados Unidos en 1975 como refugiada de Vietnam, tan sólo hablaba *una* palabra de inglés. En junio de 1983, se graduaba con honores en el colegio de Pensacola, Florida. El presidente Reagan le telefoneó para felicitarla por sus logros académicos.

La United Press narró la historia de Geraldine Lawhorn, uno de los graduandos de la Universidad de Northeastern, Illinois, en 1983. Geraldine es ciega y sorda. En realidad, ella es sólo la sexta persona ciega y sorda que se gradúa en una universidad norteamericana. Cuando le preguntaron acerca de su sorprendente logro, Geraldine contestó: «Todos tenemos las mismas metas, pero tomamos rutas distintas».

Ni Dung ni Geraldine se entregaron. Sobresalieron a pesar de los escollos. Lo emocionante de estas historias es que si ellas pueden lograr sus metas a pesar de los obstáculos, ¡*usted* también puede hacerlo!

Pasos de Acción

1. Hoy tendré en cuenta que los obstáculos no me pueden desviar de mis metas —¡sólo yo puedo lograrlo!
2. Hoy yo ....

Dios le da a cada ave su alimento, pero no se lo arroja dentro del nido.

J.G. Holland

... y Esfuerzo

Cuando el jugador de fútbol Aubrey Shultz entró a la oficina de Grant Teaff, entrenador jefe de la Universidad de Baylor, se sentó a dialogar sobre tres temas:

Número uno: Deseaba ser un delantero en el torneo All-Southwest.

Número dos: Quería participar en el All-American.

Número tres: Deseaba que Baylor ganara el campeonato Southwest Conference.

Sin embargo, cada uno de estos tres propósitos tenía una dificultad paralela:

Número uno: El era defensa y no delantero.

Número dos: El era un jugador de segunda categoría, con pocas posibilidades de llegar a participar en el All-American.

Número tres: Baylor no había ganado en el torneo de Southwest Conference en *cincuenta años.*

Pero Aubrey se dedicó a trabajar arduamente. Comenzó a levantar pesas y a llevar una dieta alimenticia rigurosa para ganar los 16 kilos que el entrenador le dijo que le estaban haciendo falta. Al principio del torneo cambió de posición y comenzó a jugar como delantero. Al final del torneo fue seleccionado para el All Southwest Conference y para el All American, y le hizo ganar al Baylor su primer campeonato Southwest Conference en cincuenta años. Dice el entrenador Teaff: «Aubrey es un triunfador, no precisamente por los títulos que posee sino porque pensó que lo imposible era posible y no tuvo ningún temor para fijarse altas metas».

Pasos de Acción

1. Hoy buscaré los consejos de los sabios para que me ayuden a lograr las metas que me he propuesto.
2. Hoy yo ....

La diferencia entre excelente y bueno es un poco más de esfuerzo.

Clarence «Biggie» Munn

... y Deseos

¿Cómo puede lograr usted lo que realmente desea de la vida? Creo que si comienza por establecer lo que *realmente* desea y esboza un plan para lograrlo.

Bárbara Sher escribió un libro titulado *Profesión-Deseo: Cómo lograr lo que usted realmente desea.* Bárbara sostiene que el arte del deseo es la clave para obtener lo que se desea en la vida. Se necesita un lápiz, un papel y un problema. El siguiente paso es concluir la frase «No puedo lograr mi propósito porque...». Tal vez, por ejemplo, porque no tiene credenciales, le hace falta dinero, o no tiene la experiencia.

Bárbara Sher dice que habiendo uno establecido qué es lo que le impide lograr su propósito, debe responder una de las dos siguientes preguntas: 1. ¿Cómo puedo lograr mi propósito *sin...*? 2. ¿Cómo puedo *obtener...*? Yo tengo una gran historia acerca de cómo funciona este proceso:

Jean Nidetch no era médica ni nutricionista; era simplemente una dama que deseaba ser delgada. Perdió el peso que deseaba, de modo que se propuso ayudar a otros a perder peso. Tenía el obstáculo de no ser una autoridad reconocida en el mundo de la dietética. Decidió diseñar todo un curso en el que les explicaba a los interesados que ella entendía perfectamente su problema porque ella era exactamente igual a ellos, solamente que más delgada. Ese propósito se convirtió en un negocio multimillonario, a pesar de los obstáculos que hubo de afrontar. Jean Nidetch logró sus propósitos porque tenía un plan y puso en práctica un procedimiento. Decida lo que usted quiere, desarrolle un plan para lograr su propósito, póngalo en práctica, y lo más probable es que tenga éxito.

Pasos de Acción

1. Hoy estableceré lo que realmente quiero —solamente el día de hoy— y desarrollaré un plan para lograrlo.
2. Hoy yo ....

La mejor preparación para el mañana es realizar óptimamente el trabajo de hoy.

William Osler

... y Tiempo

El millonario y el pobre están en igualdad de condiciones por lo menos en un aspecto: cada uno dispone de 1.440 minutos diariamente. Sin embargo, mucha gente se queja de que no tiene suficiente tiempo.

El manejo correcto del tiempo es esencial para toda persona de éxito. El tiempo es nuestro patrimonio más valioso. Una vez que los minutos y las horas han transcurrido, se fueron para nunca volver. El interrogante es cómo hacer un buen uso de nuestro tiempo.

Se comienza a dar respuesta a la problemática del manejo del tiempo teniendo en cuenta que cada hora *no tiene* sesenta minutos. Desde un punto de vista práctico, la hora tan sólo tiene tantos minutos cuantos *se utilicen.*

¿Cuántas horas pierde usted cada día? Si realmente desea saberlo, debe llevar a cabo un inventario a conciencia. Utilice un calendario o libro de citas y divida cada día en ocho casillas de una hora. Cada hora debe a su vez subdividirse en segmentos de sesenta minutos. A medida que transcurra la semana, investigue en qué forma se va su tiempo anotando todo lo que hace durante esos períodos de una hora. Hágalo durante una semana. Al final de la semana verifique los resultados. Se llevará una sorpresa cuando se dé cuenta de la cantidad de horas desperdiciadas en asuntos que no eran indispensables, o por la manía de dejar las cosas para después, o por una organización deficiente.

Después de haber analizado la utilización del tiempo que se le ha adjudicado, vuelva a realizar un inventario. En esta ocasión planifique su semana más cuidadosamente. Llene esas casillas con correspondencia, llamadas telefónicas, y seguimientos. Tenga siempre una carpeta de asuntos para resolver en cualquier momento.

Recuerde que el tiempo es realmente lo único que usted tiene para venderse a sí mismo o venderles a los demás. Cuanto mejor utilice su tiempo, tanto mejor le pagarán por él.

Pasos de Acción

1. Hoy iniciaré un inventario de siete días para establecer cómo estoy «gastando» mi tiempo.
2. Hoy yo ....

Los norteamericanos son las personas que disponen de más inventos para economizar tiempo en el mundo, y son las que de menos tiempo disponen.

Duncan Caldwell

... y Planificación

Todo el mundo desea tener éxito, pero casi nadie sabe qué debe hacer o dónde principiar. Un prerrequisito para lograr el triunfo es establecer una meta. La formulación de un plan para lograr una meta es otro elemento esencial para triunfar en la vida. Estos elementos son comunes a cualquier actividad, ya sea que las metas fijadas se relacionen con instrucción, medicina, política o deportes.

Un actor famoso decidió cambiar de carrera cuando ya había transcurrido la mitad de su vida. Su meta era participar en política. Esbozó un cuidadoso plan, que comenzaba con la participación en la política local y más tarde en la de su Estado. Ese hombre, cuyo plan también incluía llegar a la primera magistratura de los Estados Unidos, se llama Ronald Reagan.

Un pequeñuelo que utilizaba gafas decidió que quería llegar a ser un gran jugador profesional de golf. Jugó en el colegio y en la universidad, y hoy en día es el jugador que más dinero haya ganado en el circuito de golf profesional de los Estados Unidos. Su nombre es Tom Kite.

Las metas no se logran con simplemente pensar en ellas. Tiene que haber un plan de acción claro y preciso. Y parte del proceso de lograr con éxito las metas fijadas es trabajar no sólo intensamente, sino también con precisión hacia la meta fijada. Quienes llegan a la cumbre del éxito son los mismos que conciben un plan definido para lograrlo. Estas personas no sólo se fijan una meta sino también se fijan un plan de acción.

Pasos de Acción

1. Hoy definiré las metas que merecen mi máximo esfuerzo.
2. Hoy formularé por lo menos un plan detallado de acción para una de mis metas.
3. Hoy yo ....

El más pobre de los hombres es el que no tiene un sueño.

... y Miedo

«El miedo siempre está presente. El secreto no está en eliminarlo sino en superarlo», dice Peter Vidmar, un joven que creció en Los Angeles amando los deportes, pero sufriendo las frustraciones de ser pequeño. Según Peter, a él le era difícil ser «útil a un equipo. Más bien era una carga».

A los once años decidió dedicarse a la gimnasia, inspirado por los logros de Olga Korbut y Nadia Comaneci. Siguió con la gimnasia a lo largo de su bachillerato hasta llegar a la Universidad de California, plantel que le otorgó una beca. En la actualidad Peter es uno de los mejores gimnastas del mundo. Hace poco ganó la Copa América, logrando cincuenta y nueve puntos de sesenta posibles, la puntuación más alta en la historia de esta disciplina en los Estados Unidos. Sin embargo, Peter tan sólo tiene veintiún años y es muy corto de estatura.

Su entrenador hizo la siguiente sorprendente aseveración durante una entrevista concedida a la revista *People*: «Peter no tiene un talento excepcional. Yo he tenido alumnos mejor dotados físicamente, que tienen más conciencia cinética, más fortaleza y flexibilidad. Pero Peter los ha sobrepasado a todos por su *singular determinación*». Peter es una persona tan decidida que practicó un ejercicio durante *cuatro años* hasta que lo pudo dominar. Estoy convencido de que todo el que persiga sus metas con la decisión de Peter Vidmar, *¡llegará a la cima!*

Pasos de Acción

1. Hoy concentraré mis energías en la actividad que me ayude a triunfar. Esta actividad es...
2. Hoy yo ....

Concentre todo su pensamiento en la labor que está realizando. Los rayos del Sol no producen fuego sino cuando han sido concentrados en un foco.

Alexander Graham Bell

... y la Adversidad

David Welsh estaba empeñado en ser abogado. El único problema es que sufría de dislexia; quien padece de esta anomalía ve las letras de forma invertida.

Durante la escuela primaria, los padres de David dedicaron largas horas a leerle sus tareas. El les dictaba sus respuestas, y ellos las copiaban a máquina. Sin duda, muchos se asombraban del sueño de David de llegar a ser abogado.

David se matriculó en el Colegio Westminster; allí grababa todas las clases en vez de tomar notas. Todos los Exámenes los presentaba escritos a máquina. David recibió su título. Sin duda, muchos dudaban de su ambición de entrar a la escuela de leyes.

Pero David es un pensador positivo. Ingresó en la Facltad de Derecho de la Universidad de Tulsa, donde grababa cuanta conferencia escuchaba para oírlas una y otra vez, posteriormente. Dedicó largas horas a estudiar, palabra por palabra, las diferentes materias, en la biblioteca jurídica de la universidad. Dictaba sus trabajos académicos y hasta las respuestas de los exámenes, costeando todo eso de su propio bolsillo.

Hoy en día David Welsh es abogado titulado. ¿Le fue difícil realizar su sueño? ¡Sí! ¿Tuvo problemas? Numerosos. Muchos le dijeron que no lograría su propósito. Pero su sueño era ser abogado, y estaba dispuesto a hacer lo que fuera necesario para convertir su sueño en realidad.

Tengo una pregunta: ¿Qué le impide a usted lograr sus metas? Pensándolo bien, no me hable de sus obstáculos; háblele más bien a David Welsh —si puede alcanzarlo. Ahora él está dedicado a lograr otras metas. Mire más allá de los obstáculos hacia sus metas y se convertirá en persona de logros.

Pasos de Acción

1. Hoy me concentraré en soluciones, no en problemas.
2. Hoy yo ....

El carácter no se forma durante una crisis —solamente se demuestra.

Robert Freeman

... y Oportunidad

Un obstáculo es tan sólo una oportunidad de progresar y mejorar. Hace unos años Gary Goranson decidió dar su coche como parte de pago para adquirir un modelo más nuevo. El vehículo estaba en excelente estado a excepción de la pintura. Parecía tener diez años más de los que tenía realmente. Nadie le ofrecía lo que él consideraba que valía, debido a su apariencia.

Como Gary no es de los que se rinden fácilmente, se dedicó a estudiar las distintas formas de sacar brillo a los automóviles. Al poco tiempo descubrió un sistema que produjo resultados sorprendentes.

Gary adquirió una máquina vieja en desuso, perteneciente a la Fuerza Aérea Canadiense, que se utilizaba para abrillantar aeronaves. El aparato rotaba como una mano humana, pero a una velocidad de varios cientos de revoluciones por minuto. Con la máquina no sólo logró darle un brillo fantástico a su vehículo viejo, sino que hizo lo propio con los vehículos de los amigos. Viendo las posibilidades obvias, Gary compró otras cuantas máquinas, y fundó la compañía «Auto-limpio», empresa dedicada al mantenimiento estético de los vehículos. Hoy en día tiene cientos de sucursales.

He aquí un ejemplo de cómo una pequeña dificultad se convirtió en una oportunidad única en la vida. Es también un buen ejemplo de la relación comercial que puede existir entre un problema propio y el problema de los demás. Cuando se resuelve un problema personal, el beneficio será directamente proporcional al número de personas que se beneficien con esa solución.

Pasos de Acción

1. Hoy trataré de encontrar diversas formas de convertir limones en limonada.
2. Hoy yo ....

Pulirse diariamente es lo que le da brillo al hombre.

... la Superación de Obstáculos

Despues de enseñar durante dos semestres, Carol Farmer llegó a la conclusión de que la pedagogía no era para ella. Pero ¿a qué podía dedicarse?

Quería ser diseñadora, de modo que se propuso producir más dinero como diseñadora que como profesora. Carol había ganado como profesora cinco mil dólares; como diseñadora, Carol ganó cinco mil doce dólares en su primer año.

Su trabajo a destajo se convirtió en una agencia publicitaria, y le ofrecieron un sueldo de treinta y cinco mil dólares, estipendio que rechazó porque quería fundar su propia compañía. La profesora de antaño ganó más de cien mil dólares en su primer año, o sea veinte veces más de lo que había ganado el año anterior.

En 1976, Carol Farmer fundó la compañía Doody, que facturó más de quince millones de dólares en sus primeros tres años de operaciones. El personal de su compañía ha pasado de seis a doscientos, y Carol Farmer sigue diversificando. Hace poco aceptó una invitación a compartir el secreto del éxito de su empresa con catedráticos de la Universidad de Harvard.

En múltiples ocasiones, la gente ve los obstáculos como trabas en vez de considerarlos como oportunidades. Carol Farmer transformó la decepción y la desdicha de una carrera en la felicidad, la creatividad y las utilidades de otra carrera. Unase a Carol: Vea los obstáculos de forma creativa, ¡y lo veré en la cumbre!

Pasos de Acción

1. Hoy consideraré que «obstáculo» es «oportunidad», y buscaré respuestas en lugar de más obstáculos.
2. Hoy yo ....

Las pequeñas oportunidades son a menudo el comienzo de grandes empresas.

Demóstenes

... y Decir «No»

¿Será que la palabra *no* tiene una connotación negativa? ¡Claro que sí! Pero en ciertas ocasiones la palabra «no» realmente quiere decir «sí» para triunfar.

Sandra, una niña de catorce años, interpretó en el piano una bellísima melodía, mientras un público silencioso admiraba su talento. Sandra recibió su premio; no sólo tenía la satisfacción interior de saber que había tocado bien, sino que recibió el aplauso del público.

Sandra no adquirió su destreza fácilmente. Hubo de practicar en el piano cuatro horas diarias durante nueve largos años para tocar como lo hace en la actualidad. Durante esos años rechazó múltiples invitaciones a fiestas y otras actividades sociales. Dejó de ver insulsos programas de televisión y películas insustanciales, y de perder el tiempo en cientos de actividades, para sentarse a solas en casa y practicar.

Cuando Sandra les dice «no» a esas actividades que son un desperdicio de tiempo, le está diciendo «sí» a una meta mucho más importante en su vida. Ahí tiene usted: A veces «no» quiere decir «sí» para triunfar.

Pasos de Acción

1. Hoy le diré «no» al fracaso y «sí» al éxito.
2. Hoy yo ....

Los que hacen el peor uso de su tiempo son los primeros en quejarse de la brevedad de éste.

Jean de La Bruyère

... y Trabajo

Las mujeres deben trabajar con más dedicación para llegar a la cumbre, pero Roxanne Mankin dice que bien vale la pena. Roxanne es la presidenta de su propia compañía y gana cuatrocientos mil dólares anuales. Es una mujer muy atractiva y además una dama inteligente y con fuerza de voluntad. Su vida está guiada por una disciplina férrea, aislamiento y trabajo. Ascendió de secretaria a ejecutiva en sólo diez años. No fuma ni bebe; trabaja quince horas al día, viaja muchísimo, está estudiando para obtener un postgrado en administración de negocios, y le fascina la propiedad inmobiliaria.

¿A qué se debe tanto empuje? Ella dice que el dinero ya no le interesa, pero que le fascinan la propiedad inmobiliaria, las complejidades financieras y las dimensiones sociales que esta actividad conlleva. Muchos factores conforman los elementos constitutivos del éxito de una persona como Roxanne Mankin, pero dos razones primordiales ayudan a explicarlo: A ella le gusta ayudar a las personas entradas en años, y siente una responsabilidad hacia otras mujeres.

Roxanne se fijó unas metas, trabajó con intensidad, y logró su cometido ¿Valían la pena las penalidades y el sacrificio? Roxanne Mankin, al igual que la mayoría de las personas de éxito, responde categóricamente «sí». Ella es clara en que no se «paga el precio» del triunfo sino que se goza del precio del triunfo.

Pasos de Acción

1. Hoy recordaré que vale la pena trabajar para obtener cualquier cosa que valga la pena poseer —¡y luego iré a trabajar!
2. Hoy yo ....

Algunas personas consideran que están sobrecargadas de trabajo porque gastaron todo el día en hacer un trabajo que requería tres horas.

... y Prioridades

Fijar prioridades es relativamente sencillo, pero es una labor que requiere reflexión y planificación. Lo único que se necesita es elaborar una lista de las cosas que tenemos que hacer, enumerándolas según su importancia ¿Sencillo? Sí. ¿Fácil? Tal vez.

Supongamos que ustedes tienen tres actividades por realizar en orden de importancia. Imaginemos que necesitan comprarle al perro un collar que repele pulgas, que han decidido adquirir un automóvil nuevo, y que deben llevar el bebé al médico. Al clasificar estas actividades en orden de prioridad, el camino a seguir es bastante claro. ¿Pero qué sucede si llevar el bebé al médico sólo corresponde a una visita de control, y el automóvil que tenemos está en buen estado y tan sólo nos hemos prendado de uno nuevo? En ese caso, las pulgas que se están merendando al perro, y que posiblemente se los están comiendo a *ustedes* asumen una gran importancia. Por ende, la primera prioridad es conseguir el collar que repele las pulgas.

Es saludable hacer planes a largo plazo, pero desde el punto de vista práctico, también es *necesario* pensar en las cosas que requieren atención inmediata. Una planificación minuciosa nos permite tener tiempo para ambas cosas.

Al planear el mañana no descuide el presente. Es muy importante, y recuerde que el día de hoy tiene el mismo número de horas que el día de mañana. En ciertas ocasiones, la disciplina que se requiere para manejar con éxito las crisis a corto plazo nos preparan para lograr mañana esas metas a largo plazo.

Pasos de Acción

1. Hoy les concederé atención a mis prioridades, tanto a corto como a largo plazo. Mis tres más altas prioridades a corto plazo son: 1 ....
   2 .... 3 ....
   Mis tres más altas prioridades a largo plazo son:
   1 .... 2 ....
   3 ....
2. Hoy yo ....

Se requiere tanta energía para desear como para planificar.

... y Simplicidad

Toshihiko Seko tiene un programa de entrenamiento sencillo. Es tan sencillo que él lo puede esbozar en sólo doce palabras. Sin embargo, con este plan Toshihiko logró ganar el maratón de Boston en 1981 y el maratón de Tokio en 1983. Su plan le permitió dejar atrás a los corredores más famosos, más rápidos y mejor dotados del mundo. ¿Cuál es su plan? Seko nos cuenta: «Corro 10 kilómetros por la mañana y 20 por la tarde». Cuando alguien le dijo que ese plan era demasiado sencillo en comparación con los programas de otros corredores, Seko contestó: «El plan es sencillo, pero yo lo llevo a cabo *todos los días*, durante los trescientos sesenta y cinco días del año».

Yo creo que muchos no logran sus propósitos, no porque sus planes sean demasiado sencillos sino porque les falta voluntad para cumplirlos. Muchas metas no requieren planes detallados, pero sí requieren que éstos se cumplan.

Para lograr la mejor calificación es necesario estudiar en vez de sentarse a ver las telenovelas y los demás programas que presentan por la noche la víspera del examen. Para tocar el piano se requiere práctica diaria.

Una dieta requiere ejercicio diario y moderación en el comer.

El programa de Seko tuvo éxito porque lo cumplió a diario. Los planes no tienen por qué ser complicados, pero sí tienen que cumplirse.

Pasos de Acción

1. ¡Hoy haré el plan de mi trabajo y trabajaré mi plan!
2. Hoy yo ....

No hay placer en no tener nada que hacer; el placer está en tener mucho que hacer y hacerlo.

... e Ingredientes

Si usted estuviera buscando una historia de éxito improbable, es probable que escogiera ésta:

Tenía sesenta y cinco años. Tenía una casa, un automóvil destartalado y una modesta pensión de jubilación de ciento cinco dólares. Pero también tenía una ilusión y una receta secreta para preparar pollo frito. Después de haber estado toda su vida en el negocio de restaurantes, su sueño era dar su receta en concesión.

Se fue de su tierra mativa, Kentucky, a viajar por otros Estados de la Unión con la esperanza de vender su idea. A nadie le interesó ésta en Missouri, Indiana, Illinois y Kansas. Viajó hasta la lejana Salt Lake City, en Utah, donde por fin logró su primera venta. Mas su fórmula especial muy pronto se convirtió en un éxito rotundo. Al poco tiempo, cientos de restaurantes en todo el país vendían pollo «para chuparse los dedos». Este hombre era el coronel Harlan Sanders.

Los ingredientes que utilizó el coronel para convertir su sueño en realidad fueron una idea, un proyecto y trabajo tesonero. ¡Pero esa fórmula no es secreta! Todo el mundo puede reunir esos ingredientes: una idea, un proyecto y trabajo tesonero. Es probable que no sea fácil, pero mi experiencia me enseña que es más placentero triunfar que fracasar.

Pasos de Acción

1. Hoy haré una lista de las seis cosas más importantes que debo hacer mañana.
2. Hoy yo ....

No desanimes a otros hombres de sus planes a menos que tengas otros mejores que ofrecerles.

... y Esperanza

June Dutton escribió: «La esperanza es un puñado de sueños. La esperanza es un corazón paciente. La esperanza es la cura de la tristeza... el reparador de corazones partidos. La esperanza es la fortaleza para perseverar». Me gustaría agregar que la esperanza está representada en Dennis Walters.

Dennis era uno de los jugadores de golf más prometedores de los Estados Unidos, hasta que un absurdo accidente en un carrito de golf le produjo la parálisis de ambas piernas.

Pero Dennis no se contentó con simplemente *ver* jugar al golf; su meta era convertirse en profesor de golf. No cabe duda de que ésa es toda una meta para una persona que tiene paralizadas ambas piernas. Dennis aprendió a pegarle a la pelota desde un asiento. Diseñó un asiento giratorio para su carro de golf, y aprendió a bajarse de éste con muletas para hacer el *putt* con una sola mano.

Hoy en día, Dennis hace dieciocho hoyos en unos setenta golpes y hace unos *drives* de hasta doscientos treinta metros, desde un asiento. Denis no es solamente profesor de golf en la Florida, sino también uno de los únicos cuatro hombres en los Estados Unidos que puede ganarse la vida haciendo exhibiciones de golf.

Dennis Walters es un hombre de esperanza. ¡Lo que él ha logrado nos da a todos esperanza!

Pasos de Acción

1. Hoy recordaré que mientras tenga eperanza, *no* todo está perdido.
2. Hoy yo ....

La esperanza es la fortaleza para perseverar.

June Dutton

... y la Fórmula

¡Deseo formularle a usted una pregunta muy importante! ¿Tiene usted un libro de deseos?

Cuando yo era niño durante la Depresión en los Estados Unidos, a menudo tomaba el católogo de Sears Roebuck y, a medida que pasaba las páginas, soñaba con tener este juguete o aquél, esta prenda de vestir, o ese rifle, y así con miles de artículos más. Mi sueño era poder poseerlos todos algún día.

Yo creo que cada uno de nosotros, sin distinción de edad, necesita un libro de deseos. Sin embargo, para convertir esos sueños en realidad, todos debemos elaborar planes y realizar una acción específica. He aquí siete pasos que usted debe dar para alcanzar sus metas o realizar sus sueños: En primer lugar, defina claramente lo que quiere. En segundo lugar, defina claramente por qué desea alcanzar esa meta específica. En tercer lugar, haga una lista de los obstáculos que se interponen entre usted y esa meta. En cuarto lugar, defina el proceso de desarrollo, o sea lo que necesita saber, para lograr su meta. En quinto lugar, determine las personas con quienes necesita trabajar para lograr su meta. En sexto lugar, elabore un plan detallado de acción para lograr esa meta. En séptimo lugar, fije la fecha en que espera alcanzar esa meta. Esos siete pasos lo sacarán del estadio de los sueños para pasar al estadio de las realizaciones en el camino hacia el éxito.

Pasos de Acción

1. Hoy sacaré uno de mis sueños del libro de deseos, y le aplicaré la fórmula de los siete pasos, para convertirlo en realidad.
2. Hoy yo ....

Debemos fijarnos metas a largo plazo para evitar sentirnos frustrados por fallos a corto plazo.

Charles C. Noble

... y Trabajo

A menudo la diferencia entre el éxito y el fracaso es simplemente el deseo. El futbolista con el fútbol, el vendedor con su producto, la madre con sus hijos, el estudiante con sus lecciones, todos ellos deben tener un profundo deseo de triunfar.

De todos los factores que influyuen en el éxito (¡y hay muchos!), tal vez no hay nada tan importante como el deseo simple y llano y la determinación de triunfar. El jugador de fútbol debe tener un solo pensamiento: la necesidad de anotar el gol. El corredor de maratones que corre durante más de dos horas tiene mucho tiempo para pensar, y debe tener la idea fija de triunfo. La madre que pasa las veinticuatro horas del día con sus pequeñuelos debe tener un profundo amor y deseo de proporcionarles a sus hijos la mejor preparación para que se enfrenten a la vida.

El vendedor que sale todos los días a ofrecer su producto también debe tener un profundo deseo. Tiene que conocer las técnicas de ventas, conocer su producto y creer en él, y además debe tener algún conocimiento acerca de su cliente potencial y saber cómo hacer su presentación de ventas. Pero a menos que el vendedor tenga realmente el deseo de vender, no tendrá éxito.

El vendedor puede conocer todas las técnicas del caso, el futbolista puede tener un buen estado físico, la madre puede tener todas las respuestas, y el corredor de maratones puede haber llevado a cabo su programa, pero sin un deseo abrumador de tener éxito ninguno de ellos desarrollará su capacidad al máximo. ¡Y usted? ¿Usted sí está buscando realizar ese profundo deseo que ha tenido toda la vida? ¿Usted sí está luchando por alcanzar la meta deseada? Si la desea con vehemencia, ¡lo veré en la cima!

Pasos de Acción

1. Hoy eliminaré toda distracción y enumeraré mis labores por orden prioritario, para dedicarme a trabajar, trabajar y ¡trabajar!
2. Hoy yo ....

Quiero estar totalmente gastado cuando me muera, porque cuanto más trabaje, más vivo.

George Bernard Shaw

... y Concentración

El día de hoy es importante por una razón: usted puede aprovecharlo o malgastarlo; pero sea cual fuere la forma en que lo emplee, ¡usted ha canjeado por ello un día de *su* vida! Le doy tres sugerencias para el mejor aprovechamiento de su tiempo:

La primera es que le dedique tiempo al logro de sus metas. Bob Richards, un excampeón olímpico de salto con pértiga, dijo que él dedicó más de diez mil horas a la práctica de su especialidad. Después de las Olimpiadas, Bob manifestó con mucha razón que una persona puede ser buena para cualquier disciplina a la cual dedique diez mil horas. Usted puede ser bueno para cualquier disciplina a la cual dedique diez mil horas.

La segunda es que aproveche el tiempo de que dispone. Herbert Hoover escribió un libro utilizando el tiempo de espera en diferentes estaciones ferroviarias. Noel Coward escribió su conocida canción «Te volveré a ver», una vez que se atascó el tráfico.

Por último, no malgaste su tiempo. Hace poco una revista de gran circulación llevó a cabo un estudio sobre el tiempo de dieciocho ejecutivos pertenecientes a catorce empresas. Se estableció que estos ejecutivos se dedicaban a conversar aproximadamente cinco horas y media cada día. Se llegó a la conclusión de que los ejecutivos sí tienen tiempo para lograr sus metas, pero desafortunadamente lo malgastan.

Todos tenemos el mismo tiempo que tuvo Tolstoi para escribir *Guerra y paz*. Cada uno de nosotros tiene tanto tiempo como Edison para inventar la bombilla eléctrica. Hoy es un día importante. No importa cómo lo emplee usted; el hecho es que ha trocado un día de su vida por ello.

Pasos de Acción

1. Hoy me daré cuenta de que estoy trocando un día de mi vida por lo que estoy haciendo. Emplearé mi tiempo sabiamente, y aprovecharé mi tiempo dedicándolo a lograr mis metas.
2. Hoy yo ....

No podemos hacer pausas, o dudar, o matar el tiempo no se puede matar el tiempo sin lesionar la eternidad.

Joseph C. Grew

... y las Mujeres

A medida que un mayor número de mujeres entran al mercado de trabajo, la pregunta que tenemos que hacernos es ésta. «¿Los problemas empresariales son los mismos para los hombres y para las mujeres?»

¡Claro está que las mujeres son diferentes! Y los hombres siempre agradecerán que así sea. Sin embargo, hay ciertas áreas en que los hombres deben tener actitudes similares a las mujeres. Los principios del éxito son iguales para ambos sexos, pero ninguno de ellos funciona a menos que quienes los aplican tengan una idea perfectamente clara del sitio hacia donde se encaminan.

Esto quiere decir que nadie —sea hombre o mujer— debe embarcarse en una nueva carrera, a menos que tenga un plan de acción nítidamente definido acerca de las metas que se van a alcanzar. De acuerdo con Helen McLane, vicepresidenta de una empresa dedicada a localizar ejecutivos, es menos probable que las mujeres tengan proyectos profesionales establecidos. Es muy importante que tanto los hombres como las mujeres en su camino hacia la cumbre, fijen prioridades, establezcan plazos y tengan absoluta claridad en cuanto a lo que van a llevar a cabo.

Todos debemos tener un plan de acción definido, pero esto es especialmente cierto para las mujeres que piensan ingresar al mercado de trabajo por primera vez. Trace usted su plan y defina su meta.

Pasos de Acción

1. Hoy dedicaré .... minutos o .... horas a planificar.
2. Hoy yo ....

Los hombres [y las mujeres] superficiales creen en la suerte; los sabios y fuertes creen en la causa y el efecto.

Ralph Waldo Emerson

... y Cansancio

El 4 de julio de 1952, Florence Chadwick se arrojó al agua que circunda la Isla Catalina para nadar hacia la costa de California, situada a unos treinta y cuatro kilómetros de distancia. Con el transcurso de las horas comenzó a sentir cansancio, pero su mayor problema era el frío que le calaba hasta los huesos. Quince horas más tarde, medio congelada, pidió que la sacasen del agua. Supo poco después que le faltaban ochocientos metros para llegar a la costa, en el momento de su retirada. Manifestó que habría podido desafiar el frío y el cansancio si tan sólo hubiese podido ver la costa, pero su meta estaba cubierta de neblina cuando dejó de nadar. Este hecho nubló su razonamiento, sus ojos y su corazón. Esta fue la única vez que Florence Chadwick se rindió.

Dos meses después, volvió a nadar a través del mismo canal. Por segunda vez la neblina le negó toda visibilidad, pero en esta ocasión siguió nadando con su fe intacta. Sabía que en alguna parte, tras esa cortina de niebla, estaba la tierra firme. Florence fue la primera dama en atravesar el Canal Catalina, y de paso rebajó la marca masculina en dos horas.

El mensaje es claro: es posible que no se vea el final del túnel, ¡pero ahí está! Por tanto, decida que la meta que se propone se encuentra ahí aunque no la pueda ver. Si usted se compromete a lograr una meta a pesar de su cansancio, ¡sus posibilidades de lograrla aumentan drásticamente!

Pasos de Acción

1. Hoy recordaré que el final del túnel —mi meta— está a mi alcance, aunque no lo pueda ver. Por tanto, me negaré a rendirme.
2. Hoy yo ....

Vaya hasta donde alcance a ver, y cuando llegue allí se dará cuenta de que puede ver más lejos.

... y Acción

Benjamín Disraeli, el famoso primer ministro de la Reina Victoria de Inglaterra, dijo que si bien la acción no trae la felicidad, no hay felicidad sin acción. Aruskind manifestó la misma verdad de forma distinta: «Hacer es lo importante, pues si hago lo que es debido, termina por gustarme». Dale Carnegie manifestó enfáticamente: «Si usted desea ser entusiasta, tiene que *actuar* de forma entusiasta». Para William James, la actitud es resultado de la acción: «No cantamos porque nos sentimos felices; nos sentimos felices porque cantamos».

Todos estos hombres manifiestan la misma idea: La actividad, la acción, la realización de alguna cosa trae no sólo recompensas y reconocimiento, sino también felicidad. Cuando nos ocupamos llevando a cabo alguna labor, ponemos a trabajar nuestra mente de forma constructiva. Saber que estamos ejecutando una labor nos produce una sensación de estar satisfechos con nosotros mismos, y una felicidad imposible de lograr de otra manera. Así, la regla parece sencilla: Si usted está buscando felicidad, para lograrla tiene que trabajar ¡con brío!

Pasos de Acción

1. Hoy tendré en mente que *la acción* es la clave del logro.
2. Hoy yo ....

La lógica no cambia una emoción. ¡Pero la acción sí!

... y Oportunidades

Hay muchos que navegan por el mar de la vida pensando equivocadamente que no es posible triunfar a menos que se tengan oportunidades. Sin embargo, mis observaciones me indican que el noventa y nueve por ciento de la gente que tiene oportunidades *busca* esas oportunidades.

Hace muchos años, Gibbon anotó: «El viento y las olas siempre están de parte del marinero más capaz». Tiempo después alguien expresó el mismo pensamiento de una forma más actualizada y quizás un poquito más cínica: «La carrera no siempre la gana el más fuerte y veloz, pero siempre se apuesta por él». Lo de las oportunidades podría explicarse diciendo que la mejor forma de llegar a la cumbre es llegando a la base de las cosas mediante una preparación y un esfuerzo hechos a conciencia.

«No existen los llamados vientos favorables si no se tiene ni idea de cuál ha de ser el rumbo». El mensaje de estos pensadores es que usted debe decidir qué es lo que quiere, prepararse diligentemente para lograr sus objetivos y, finalmente, estar convencido de lograr tales objetivos. ¡Es un consejo invaluable de estos hombres del pasado!

Pasos de Acción

1. Hoy *elaboraré* mis oportunidades preparándome a conciencia, con un esfuerzo sostenido.
2. Hoy yo ....

Tú lo puedes hacer gradualmente —día a día, paso a paso— si deseas hacerlo, si quieres hacerlo, si trabajas para hacerlo, durante un período suficiente de tiempo.

William E. Holl

... y Liderazgo

De joven, cuando daba mis primeros pasos como vendedor, tuve la suerte de tener como jefe a un hombre esforzado que parecía que fuese mi hermano mayor. Bill Cranford, así se llamaba, tuvo la paciencia del santo Job conmigo, pues en esa época yo era la ineptitud improductiva andante.

Cuando finalmente aprendí a sobrevivir en el mundo de las ventas y comencé mi ascenso administrativo, Bill me dio una sencilla lección de liderazgo: Tomó un pedazo de cuerda, y me dijo: «Zig, estarás de acuerdo en que sería muy difícil empujar esta cuerda, pero en cambio es muy fácil tirar de ella. La gente es lo mismo, fácil de llevar, difícil de empujar. A medida que avance tu carrera, te darás cuenta de que si tú les das a tus subalternos el buen ejemplo y el liderazgo, no tendrás que empujarlos mucho. Ellos se sentirán felices de seguir al jefe».

Mis experiencias posteriores durante años me han demostrado cuánta razón tenía Bill. A la gente le encanta seguir al líder. Esto es cierto, tratándose de cualquier tipo de liderazgo, ya sea en ventas, empresas, religión o política. Guíe en vez de empujar, y verá que usted —al igual que quienes están a su alrededor— avanzarán para lograr sus metas.

Pasos de Acción

1. Hoy recordaré que puedo lograr mucho más pidiéndole a la gente que me acompañe que empujándola delante de mí.
2. Hoy yo ....

Tú puedes pronunciar un mejor sermón con tu vida que con tus labios.

Oliver Goldsmith

... y Tres Cualidades Importantes

Yo creo finalmente en la fijación de las metas y en el trabajo arduo durante largas horas para alcanzarlas. Pero hay ocasiones en que la fijación de metas no funciona. Las metas son inútiles si no son realistas, si son inconmensurables y si no son un reto. Para que la fijación de metas sea una parte productiva de su vida o de su negocio, estos objetivos deben tener tres cualidades:

En primer lugar, sus metas deben ser realistas. No deja de ser una actitud admirable que usted se proponga pintar el equivalente de la Mona Lisa, pero si es un principiante, ésta no es una meta realista.

En segudo lugar, nuestras metas deben ser medibles. Por ejemplo sería difícil fijar la meta de que todo el mundo se sienta feliz en la oficina. Una ambición meritoria, desde luego; pero, como meta, es inútil, pues no es medible.

Finalmente, nuestra meta debe ser un desafío. No sólo debe ser realista sino ser también un desafío. Su meta debe estar fuera de su alcance, pero no debe perderla de vista. Usted necesita la energía que genera un desafío emocionante, una montaña tan alta que el hecho de escalarla produzca una satisfacción ¡muy, pero que muy grande!

Pasos de Acción

1. Hoy me cercioraré de que mis metas sean realistas y medibles, y de que sean un reto.
2. Hoy yo ....

El alcance del hombre debe estar más allá de su mano. O si no, ¿para qué existe el cielo?

... Ver y Alcanzar

Yo llevo mucho tiempo promoviendo el poder del pensamiento positivo. Tengo en mi poder la evidencia contundente de que todos actuamos según hayamos programado nuestra mente para hacerlo. Esto lo logramos *viendo* el resultado antes de pasar a la acción física. El campeón de ciclismo *ve* el premio de montaña antes de llegar a él. El campeón de fútbol *ve* la pelota en la red antes de sacar el tiro libre. El campeón de boxeo *ve* a su contrincante en la lona antes de darle el golpe de gracia.

En su magnífico libro titulado *Picocibernética,* el Dr. Maxwell Maltz informa sobre las investigaciones científicas alrededor del «entrenamiento mental» que a menudo utilizan los atletas. Ciertas pruebas han demostrado que los jugadores de baloncesto que practican tiros libres sólo tienen una ligera ventaja sobre aquellos que tan sólo lo hacen mentalmente con «el ojo de la mente».

Este proceso que les da resultado a los grandes atletas también nos dará resultado a nosotros. Podemos programar nuestra mente para ser ganadores. Este es el primer paso importante para llegar a serlo. Los pensamientos y las proyecciones positivas requieren práctica para lograr un cuadro mental que formará parte de nuestro desenvolvimiento real.

Pasos de Acción

1. Hoy me *veré* actuando como un ganador en todas mis actividades *antes* de comenzar mis actividades.
2. Hoy yo ....

La mente del hombre, estirada por una nueva idea, jamás vuelve a sus dimensiones originales.

Oliver Wendell Holmes

5.
Cómo...

El gran propósito de la educación no es el conocimiento sino la acción.

Herbert Spencer

... Tolerar

He pasado mucho tiempo en aviones durante los últimos años, y nunca deja de asombrarme la capacidad de esos mastodontes para volar con rapidez y seguridad por los aires. En ciertas ocasiones, cuando el tiempo está malo agitan sus alas como si fuesen halcones excitados.

Durante uno de estos vuelos el joven que viajaba junto a mí exclamó: «¡Mire, las alas se van a desgajar!» El auxiliar de vuelo, que se hallaba cerca, le dijo calmadamente que las alas estaban diseñadas para ser flexibles en tiempos de turbulencia. Los ingenieros denominan ese factor «tolerancia». Si las alas fuesen rígidas no resistirían la presión de las corrientes de aire que varían velozmente; en ese caso, sí se partirían cual ramitas secas en mal tiempo.

La habilidad para ser flexibles es de importancia para el hombre también. Debemos aprender a acomodarnos, a ser tolerantes en muchos aspectos.

Hágase usted las siguientes preguntas: «¿Tengo habilidad para adaptarme? ¿Tengo un nivel saludable de tolerancia? ¿Seré lo suficientemente flexible como para no quebrarme si me doblo?» Aprenda a moverse en las tormentas de la vida, ¡y lo veré en la cima!

Pasos de Acción

1. Hoy seré lo suficientemente flexible como para doblarme, ser tolerante con los demás, y estar abierto a nuevas ideas sin comprometer mis creencias básicas.
2. Hoy yo ....

La tolerancia es buena para todos, o no es buena para nadie.

Edmund Burke

... Manejar las Oportunidades

Fue Shakespeare quien dijo: «Debemos aprovechar la marea en su momento, so pena de malograr la oportunidad». Una definición del dicionario describe la oportunidad como el momento «propicio». También ha sido definida la oportunidad como la ocasión de avance o progreso. Ha de notarse el uso de la palabra *ocasión* en la definición anterior. Nada en la vida conlleva una garantía absoluta, y la oportunidad no constituye la excepción. Sin embargo, con frecuencia creamos nuestras oportunidades viendo las posibilidades que otros pasan por alto. ¿Cómo podemos reconocer las oportunidades que se nos presentan? He aquí algunas sugerencias que podrían ser útiles en esta tarea:

En primer lugar, mantenga los ojos abiertos para captar nuevas ideas, analizar nuevos productos, y observar cambios de presentación en productos viejos. Siempre hay un nuevo tipo de yo-yo o colección de vistas esperando ser descubiertos.

En segundo lugar, mire con detenimiento antes de saltar. Hay un equilibrio entre la posibilidad de hacer fortuna con una nueva idea y el comportamiento irracional frente a toda idea nueva.

En tercer lugar, no pase por alto las oportunidades que se le presenten en su propia empresa u oficina. Por ejemplo: ¿Cuál es el dolor de cabeza más grande de su jefe? ¿Puede usted resolver ese problema? Ponga sus ideas sobre papel, en forma lógica y coherente, y presénteselas a su jefe.

Pasos de Acción

1. Hoy me convertiré en el «solucionador de problemas» de mis allegados.
2. Hoy yo ....

Debemos aprovechar la marea en su momento, so pena de malograr la oportunidad.

Shakespeare

... Regálese Usted

Tan sólo se necesitan unos cuantos segundos para dar las gracias de todo corazón. Nadie ha vivido una vida tan activa como Teodoro Roosevelt. Sin embargo, hasta en sus campañas más agitadas, siempre encontraba tiempo para dar las gracias al maquinista por un viaje sin contratiempos. Este gesto sólo le quitaba unos minutos, y en cambio le granjeaba una amistad para toda la vida. ¿Política sagaz? ¡Ciertamente! Pero además, buena forma de vivir.

En un libro encantador llamado *Trate de regalarse usted,* David Dunn señala una sencilla fórmula de tres pasos para llevar a cabo esta estrategia de gratitud. La idea nació cuando vio una señal ferroviaria al llegar a un paso a nivel en Nueva Inglaterra.

Pare cuando se precipita para llevar a cabo sus labores diarias.

Mire en busca de oportunidades de ser cortés y amigable.

Escuche las esperanzas y los problemas de los demás para que contribuya al éxito y a la felicidad de ellos.

Haciendo esto, concluye David Dunn, «encontraremos que estamos gozando la vida a plenitud a pesar de sus problemas e incertidumbres».

Acuérdese hoy de esa señal que dice Pare, Mire, Escuche ¡y lo veré en la cumbre!

Pensamiento: Usted no puede disfrutar del perfume de las rosas cuando está corriendo. Tiene que detenerse para disfrutar de su aroma, e igualmente tiene que detenerse para gozar de la vida.

Pasos de Acción

1. Hoy aprovecharé cualquier oportunidad de ser cortés.
2. Hoy yo ....

Muchas personas pierden su cuota de felicidad, no porque nunca la hayan encontrado sino porque nunca se detuvieron a gozar de ella.

William Feather

... Aceptar

Es muy probable que usted tenga un amigo o un pariente que tiene un hábito como para enloquecerlo. Quizás usted lo haya tolerado hasta que un buen día, incapaz de resistir más, le dijo todo lo que estaba esperando decirle, y se lo dijo precisamente de la forma más inapropiada. Esta es una situación penosa para todos, ¿no es verdad?

He aquí unas sugerencias para tocarle el tema a una persona que tiene un hábito molesto que podría impedirle conseguir empleo, lograr un aumento o una promoción, o que también podría constituir un impedimento para el establecimiento de una relación productiva.

Ante todo, sea *tolerante.* Todos somos humanos, y estamos lejos de ser perfectos. Además, usted debe tener en cuenta que, por lo general, somos más críticos con aquellos a quienes amamos. Tristemente, a menudo somos más tolerantes con los extraños que con nuestros seres queridos.

Evalúe la molestia que el hábito produce. ¿Realmente es tan malo? ¿Vale la pena echárselo en cara?

Recuerde que muy probablemente la persona no tiene conciencia de su propio hábito. Un íntimo amigo mío tenía la manía de decir «¿Qué?» a todo lo que se le dijese. Yo le pude ayudar, no diciéndole nada, y negándome a repetir lo que le había dicho. Pronto dejó el hábito.

Si usted menciona el hábito, tenga en cuenta que debe *atacar* el problema y no a la persona. Lo que usted quiere eliminar es el hábito, no la persona. No critique, a menos que sea capaz de ofrecer una *solución.* Ni siquiera lo mencione, si no está dispuesto a gastar tiempo para ayudar a encontrar la solución. Discuta el hábito molesto con suavidad, con afecto y con interés en *ayudar* al ser querido.

Tenga en cuenta que parte de la amistad es aceptar a la persona tal como es, a pesar de sus defectos. Pero a veces las personas necesitan que alguien les señale su problema. Si usted sigue estas sugerencias, estoy seguro de que seguirá teniendo un amigo después de la charla.

Pasos de Acción

1. Hoy ofreceré soluciones en vez de encontrar problemas.
2. Hoy yo ....

A nadie le impiden sus propias faltas señalarle faltas a otro.

Proverbio latino

... Obtener Resultados

¿Dónde estarás cuando llegues al sitio a donde te encaminas? En otras palabras: ¿A dónde nos llevarán nuestros sueños? ¿Cuáles son nuestras ambiciones y nuestras metas?

Tal vez nosotros somos como aquel vendedor que estaba más perdido que una aguja en un pajar y se acercó al almacén de una comunidad rural a preguntar por direcciones. El dueño del almacén, con un guiño de ojo a sus amigos, le contestó al hombre extraviado: «Usted no puede llegar allí desde aquí».

¿Será ése el modo de pensar de usted sobre sus metas y sueños en la vida? Será que usted se dice: «¿Yo no puedo llegar allá desde aquí?» Si la respuesta es afirmativa, le puedo pronosticar que con esa clase de actitud es muy probable que así sea. Permítame hacerle tres sugerencias que le ayudarán a realizar sus sueños:

La primera: No tema soñar. Determine aquí lo que quiere en la vida. Investigaciones científicas demuestran claramente que soñar es de importancia fundamental para la estabilidad emocional. Soñar despierto es igualmente importante para usted si espera desarrollar un mínimo de su potencial.

La segunda: Usted debe descubrir cuáles son los obstáculos que se encuentran en el camino hacia sus metas, a fin de que trace un plan de acción para superarlos. Recuerde: Si no hubiera nada interpuesto entre usted y sus deseos, usted sencillamente los vería realizados. Además, por extraño que parezca, usted debe decidir si está dispuesto a disfrutar de los beneficios que obtendrá una vez que haya realizado sus metas.

La tercera: No tenga miedo al fracaso. Todo el mundo tiene fracasos. Lo que separa a los fracasados de los individuos productivos y realizados es la forma en que hacen frente a los reveses y contratiempos.

Feliz el hombre que sueña y está dispuesto a hacer lo que sea para realizar sus sueños.

¡No le dé miedo comenzar el ascenso, y lo veré en la cima!

Pasos de Acción

1. Hoy dedicaré un tiempo a ver dónde quiero estar dentro de un año, y analizaré lo que estoy haciendo para lograrlo.
2. Hoy yo ....

Si la gente se pudiera concentrar en su trabajo con el mismo ahínco con que se concentra en sus preocupaciones, tendría el éxito asegurado.

... Dejar Nuestra Huella

Sé que ustedes como yo, desean dejar su huella en esta vida. Una forma de ponerse seriamente en camino para lograr esa meta es adoptar las «diez guías para lograr al éxito», elaboradas por Marshall Field. Dicho sea de paso, este hombre fue uno de los hombres de negocios de mayor éxito a escala mundial. De modo que sus observaciones son dignas de la mayor credibilidad.

1. El valor del tiempo: No lo desperdicie.
2. El valor de la perseverancia: No se rinda.
3. El placer de trabajar duro: No sea perezoso.
4. La dignidad de la sencillez: No sea complicado.
5. El valor del carácter: No sea deshonesto.
6. El poder de la bondad: No sea desalmado.
7. La llamada del deber: No sea irresponsable.
8. La sabiduría del ahorro: No sea derrochador.
9. La virtud de la paciencia: No sea impaciente.
10. El mejoramiento de las destrezas: No deje de practicar.

Me gustan estas guías. Les pillan por sorpresa a muchos porque piensan que son muy obvias y simples. El éxito no es complicado. Las acciones de usted están controladas por sus pensamientos, y sus pensamientos están controlados por lo que usted constantemente le inyecta a su mente o deje que le inyecten.

Pasos de Acción

1. Hoy repasaré el proceso de diez pasos para lograr el éxito, cuantas veces me sea posible (por lo menos diez veces).
2. Hoy elegiré uno de los diez pasos para concentrarme en él, y uno de los otros para cada uno de los próximos nueve días. Hoy comenzaré con el paso número ....
3. Hoy yo ....

Algunos hombres triunfan porque están destinados a ello; pero la mayor parte de los hombres triunfan porque están resueltos a ello.

... Cambiar Nuestra Vida

Al parecer tenemos que hacer una labor de limpieza y por lo visto la tarea es enorme. Los astronautas del transbordador *Challenger* hace poco compartieron con el resto de la humanidad unas impresiones alarmantes, después de un viaje espacial. Dijeron que habían visto un planeta *sucio.* Paul Weitz, el comandante del primer vuelo del *Challenger* dijo: «Fue aterrador para mí ver cuán sucia se está volviendo nuestra atmósfera. Por desgracia, la Tierra se está convirtiendo en un planeta gris. Nuestro medio ambiente se está deteriorando. ¿Cuál es el mensaje? Estamos ensuciando nuestro propio nido».

¡Esa es una noticia aterradora! El hombre está destruyendo su propio hogar. Es hora de que comencemos a hacer una limpieza antes de que sea muy tarde. Pero también hay otra área que requiere nuestra especial atención, y podemos hacer algo al respecto, inmediatamente.

Esta área está situada entre nuestras orejas. Pero no se trata de nuestra cara. Me refiero a nuestra mente y a la suciedad que ella absorbe. Estamos expuestos al sexo y a la violencia que a diario nos lanzan las revistas y la televisión, y posiblemente al lenguaje indecente en el trabajo o en la escuela. El peligro aterrador está en la forma en que esos estímulos negativos afectan a nuestros pensamientos, actitudes, metas y acciones. ¿Y cómo los afectan? Nos convertimos en lo que pensamos, y pensamos en lo que dejamos que entre en nuestras mentes por voluntad propia, o por conducto de los demás.

Si tenemos amigos positivos y recibimos información positiva, con toda seguridad nuestras vidas van en trayectoria ascendente. William James dijo: «El descubrimiento más trascendental de mi generación es que el ser humano puede cambiar el rumbo de su vida si cambia las actitudes de su mente». Espero que usted me secunde en la tarea de eliminar la contaminación de la mente. Si lo hace, ¡lo veré en la cima!

Pasos de Acción

1. Hoy estaré consciente de *todo* lo que esté penetrando en mi mente, y haré todo lo posible por darle paso tan sólo a lo que sea bueno, limpio, puro, poderoso y positivo.
2. Hoy yo ....

Una mente abierta propicia la oportunidad de que alguien deje caer dentro de ella un pensamiento valioso.

... Influir en los Demás

Se ha dicho mil veces que el ejemplo es la mejor enseñanza. Benjamín Franklin creía en ese aforismo. El sabía que la ciudad de Filadelfia necesitaba alumbrado público, pero también sabía que un ejemplo sería más convincente que una discusión. Con esto en mente, se le ocurrió una idea luminosa para persuadir a sus vecinos de que el alumbrado callejero era imperativo. Colgó un bello farol a la entrada de su casa, y matenía sus vidrios bien brillantes y la mecha cuidadosamente recortada.

Al poco tiempo, los vecinos de Franklin hicieron lo mismo. Algún tiempo después, los ciudadanos de Filadelfia estaban dispuestos a iluminar las calles de su ciudad. Ni siquiera los discursos más elocuentes de Franklin tuvieron el poder de persuasión de su ejemplo.

Eso me lleva a formular esta pregunta: ¿De qué forma trata usted de influir en los demás? ¿Por medio de la intimidación? ¿Arrollándolos para que acepten sus puntos de vista? Si es así, es probable que usted no tenga éxito muy a menudo. Y cuando sí lo ha tenido, probablemente haya dejado una secuela de destrucción de sentimientos amargos.

Yo me identifico con Edgar A. Guest, cuando dijo: «Yo prefiero mil veces ver un sermón que oírlo». En resumen, hacer y mostrar es más poderoso que hablar.

Pasos de Acción

1. Hoy daré un ejemplo de primer orden, teniendo en cuenta que *alguien* (y quizás más que alguien) está observándome y aprendiendo de mí.
2. Hoy yo ....

No se echan los cimientos del carácter con sermones sino con ladrillos del buen ejemplo, puestos día tras día.

Leo B. Blessing

... Conseguir Trabajo

¿Buscando trabajo? Todos hemos buscado trabajo alguna vez en la vida, y sabemos cuán asustadora y desalentadora puede ser esta experiencia. Hay toda clase de cosas que se deben hacer cuando se está en ese trance. Sin embargo, si tenemos en cuenta algunas sugerencias es posible que felizmente logremos el puesto que buscamos.

Siempre es bueno tener preparado un breve *curriculum vitae*, escrito a máquina. Todo jefe desea tener alguna información sobre los aspirantes a un cargo. El *curriculum vitae* debe ser claro, honesto y sencillo, sin ningún maquillaje. Es importante citar experiencias pasadas y poner de realce los logros positivos en otras empresas.

Le sugiero que se presente a las entrevistas bien vestido. La primera impresión es muy importante; incluso si su vestimenta resulta exagerada, el patrón sabrá que usted quiere tener una buena apariencia y que es sincero.

Pero ante todo, ponga su esperanza en lograr el puesto. Debe entrar a la entrevista pensando que el puesto será suyo.

Finalmente, sea entusiasta. Aunque no tenga usted experiencia, a todo jefe le gusta tener en su nómina a una persona entusiasta.

Pasos de Acción

1. Hoy procuraré ser una persona más productiva enfocando mi vida de forma entusiasta.
2. Hoy yo ....

No hay futuro en ningún cargo. El futuro está en las manos de la persona que desempeña el cargo.

Dr. George W. Crane

... Hablar

¿Alguna vez usted se ha visto obligado a pronunciar un discurso, y de solo pensarlo se ha llenado de pánico? Para algunas personas hablar en público constituye una experiencia aterradora. Cualquiera que sea su profesión u oficio, algún día le tocará a usted pronunciar un discurso. Esto le podrá suceder en una reunión de padres de familia, en un banquete del Club de Rotarios, o en una manifestación política.

Como quiera que una intervención pública puede promover su carrera profesional, es importante que tenga las nociones básicas para hablar bien en público. No necesita ser un orador profesional para pronunciar un buen discurso. Con un poco de práctica, puede pronunciar un discurso informativo, interesante, y que sea útil a quienes lo escuchen.

No se preocupe por el nerviosismo. Tenga en cuenta que cuando exhiben en público a una mula vieja, ésta no se inmuta. Pero cuando exhiben frente al mismo público a un caballo de pura raza, éste se pone tan nervioso como un gato colilargo en una habitación llena de sillas mecedoras. De modo que cuando se ponga usted nervioso frente al auditorio, déle gracias a Dios, porque ¡usted es un caballo fino, y no una mula vieja!

Una vez iniciado el discurso trate de establecer contacto visual con personas amigas o sonrientes, una a la vez. Probablemente usted use algunas notas para mantenerse organizado y para seguir la trayectoria que planeó, y esto está bien, pero no lea el discurso.

Utilice palabras y frases que le sean familiares. Base su discurso en su propia vida o en su ramo o especialidad. Sea usted mismo. No trate de ser florido o de utilizar lenguaje al cual no esté acostumbrado. Si usted no puede pronunciar un discurso siendo usted mismo, le irá peor pretendiendo ser lo que no es.

Finalmente, sea entusiasta. Un discurso resulta bueno cuando el orador cree en su mensaje y lo comunica con entusiasmo.

Pasos de Acción

1. Hoy aprovecharé la oportunidad de hablar en público, ya sea un público de dos o de doscientas personas.
2. Hoy yo ....

El miedo es arena en la maquinaria de la vida.

E. Stanley Jones

... Hacer Amistades

Jack Benny y George Burns disfrutaron de una amistad que duró cincuenta y cinco años. George Burns dice riendo: «El nunca salía corriendo cuando yo cantaba, y yo tampoco salía corriendo cuando él tocaba el violín».

El Dr. Alan McGinnis dice que en la actualidad hay escasez de amistad en los Estados Unidos. En su libro *El factor amistad*, sostiene que la amistad no está en la lista de prioridades de la mayoría de la gente. Pero si usted se traslada de Seattle a Miami, se verá obligado a hacer nuevas amistades. ¿Cómo puede usted hacer amistades íntimas?

Primero, *sea sincero.* No debe tener miedo de comportarse tal como usted es. Es importante que aprenda a vivir siendo comunicativo hasta cierto punto.

Segundo, *debe aprender a perdonar.* Es importante recordar que hasta los amigos cometen errores. Si es necesario aclarar alguna situación, proceda a hacerlo, pero no se ponga de mal humor ni trate de hacerle pagar a su amigo lo que hizo.

Tercero, *sea detallista.* Recuerde que los pequeños detalles son parte importante de la amistad. Aunque parezca poca cosa enviar una tarjeta, hay que ver cuánto me alegro cuando recibo una tarjeta de un amigo. Damos por sentado que nuestros amigos saben cuánto los apreciamos, pero no cuesta nada recordárselo de vez en cuando. Al igual que cualquier actividad de la vida, a la amistad hay que trabajarla.

El pensamiento de hoy: No busque en un amigo perfección sino comprensión. Después de todo, si una persona es perfecta, ¡tal vez no quiera ser amiga de usted!

Pasos de Acción

1. Hoy haré amigos *siendo* amigo.
2. Hoy yo ....

La amistad es un regalo que nos hacemos nosotros mismos.
Robert Louis Stevenson

... Ganar

Sucedió el 28 de mayo de 1983. Se jugaba el Abierto de Tenis de Francia en la ciudad de París. Cathy Horvarth, quien debía jugar contra Martina Navratilova, tenía todas las de perder. Martina estaba catalogada como la número uno en el escalafón mundial; Cathy estaba en el puesto número cuarenta y cinco. Aunque Cathy tenía una trayectoria buena, no era perfecta ni mucho menos. Martina, en cambio, no había perdido un solo partido en todo el año. En efecto, contabilizaba treinta y seis victorias consecutivas. Se vanagloriaba de haber ganado noventa partidos en 1982, con tan sólo tres derrotas frente a campeonas como Chris Evert Lloyd y Pam Shriver. Como si todos estos hechos no fueran suficientes para dar al traste con el juego de Cathy, había algo más: El partido se jugaría frente a dieciséis mil espectadores, y Cathy a la sazón tan sólo tenía diecisiete años de edad.

Cathy ganó el primer set 6-4. Martina ganó el segundo 6-0. El tercero lo empataron 3-3, con el servicio a favor de Martina. Para sorpresa de todo el mundo, Cathy ganó el set y con éste el partido. Habiéndosele preguntado acerca de su estrategia, Cathy contestó: «Yo jugué para ganar». Estoy convencido de que ella ganó porque esperaba ganar.

Esperar confiadamente es una magnífica actitud. Hay pruebas concluyentes que demuestran que la espera confiada del patrón tiene una relación directa con el rendimiento del empleado, al igual que la del profesor con el rendimiento del alumno. Pero ante todo, la espera confiada de usted tiene una relación directa con su propio desenvolvimiento. Haga planes de victoria, espere la victoria, crea en la victoria y saldrá victorioso.

Pasos de Acción

1. Hoy esperaré confiadamente ganar en todas mis actividades.
2. Hoy yo ....

El mayor placer de la vida es realizar lo que los demás dicen que somos incapaces de hacer.

Walter Bagehot

... Usar la Imaginación

¿Se sorprendería usted si supiera que puede practicar el golf o el tenis durante horas enteras sin moverse de su silla favorita?

Durante años, los atletas soviéticos vienen ganando más medallas olímpicas de las que les corresponden. Los entrenadores norteamericanos se habían enterado de los métodos de intenso entrenamiento que acostumbran los rusos, pero hasta hace poco estaban en tinieblas acerca del programa psicológico y mental a que debe someterse todo atleta soviético.

En la Universidad de Stanford se está llevando a cabo un profundo estudio científico en el campo del comportamiento neuromuscular, con la ayuda de refinados computadores y la colaboración del equipo de tenis universitario. Los investigadores han descubierto métodos para que los atletas practiquen movimientos de los brazos y del cuerpo sentados en una cómoda silla.

Yo llevo largo tiempo promocionando el poder del pensamiento positivo y sé a ciencia cierta que uno se desenvuelve tal como haya programado su mente. Esto es valedero tanto para los atletas olímpicos como para el quehacer diario. Usted puede programar su mente para *pensar* como un campeón. Proyecte en la pantalla de la mente una nítida imagen suya recibiendo el máximo galardón. Estos son los primeros y más importantes pasos para convertirse en triunfador.

Pasos de Acción

1. Hoy visualizaré lo que significa exactamente para mí triunfar, desde el punto de vista físico, mental y espiritual, y me voy a concentrar en esa visualización.
2. Hoy yo ....

El hombre se compone de cuerpo, mente e imaginación. Su cuerpo es imperfecto y su mente es poco confiable; pero su imaginación ha convertido su vida en este planeta en una práctica intensa de todas sus energías más preciosas.

John Masefield

... Sacar la Vaca del Maizal

¿Usted ha oído hablar alguna vez de Artemus Ward? Durante la guerra civil norteamericana, el cómico Artemus Ward se vanagloriaba diciendo: «Ya le he dado dos primos a la guerra, y estoy dispuesto a sacrificar al hermano de mi esposa».

Dicha frase podría ser graciosa si no nos afectara tan de cerca. Todos conocemos personas que están dispuestas a ir a cualquier parte y a hacer cualquier cosa, con tal que no tengan que hacer ningún esfuerzo, no tengan que gastar un centavo, y no tengan que hacer ningún sacrificio. «¡Que lo haga Rita!», gritan todos, menos Rita.

También es fácil criticar a los demás, culpándolos por el lío en que nos encontramos metidos. Pero permítame decirle que una dieta permanente de crítica a los demás puede producir cardialgia, que puede desembocar en un infarto cardíaco. La crítica rara vez nos lleva a alguna parte; el trabajo sí.

Podemos criticar la presencia de la vaca en el maizal todo el día, pero en nada aumentará su producción de leche, y tampoco servirá para que salga del maizal. Las vacas no son criaturas muy receptivas a la crítica. Por otra parte, bien podríamos retirar la vaca del maizal para amarrarla a una estaca, o cercar el maizal, cumpliendo así nuestro objetivo. La diferencia entre el éxito y el fracaso se basa a menudo entre hacer algo para solucionar un problema y simplemente hablar del problema o preguntarse por qué los demás no están haciendo algo al respecto.

Pasos de Acción

1. Hoy actuaré basado en mis ideas, en vez de participar en largas discusiones.
2. Hoy yo ....

Si tienes algo que valga la pena hacer, no hables, hazlo. Cuando lo hayas hecho, tanto tus amigos como tus enemigos hablarán de ello.

George W. Blount

... Manejar el Estrés

Todos nos vemos enfrentados a situaciones de estrés y de tensiones en nuestras actividades cotidianas. Según los expertos, un poquito de estrés en realidad es bueno, pero en demasía nos causa insomnio, nos pone los nervios de punta e irritables y nos sube la presión sanguínea. He aquí dos formas de mermar las tensiones para mantenernos en equilibrio:

En primer lugar, debemos hallar la causa del estrés. ¿Nuestro problema primordial hoy es una desavenencia con un compañero de trabajo o con un pariente? Si éste es el caso, debemos dedicar algún tiempo a discutir el problema. La mejor solución es dejar el orgullo de lado, hacer de tripas corazón y encarar honestamente el problema. Es muy probable que éste sea menos serio de lo que imaginamos. Puede tratarse tan sólo de un malentendido. Hay que cortar el problema de raíz. Si le permitimos que se desarrolle en la mente, nos causará estrés innecesario e indeseado. La Biblia dice: «No dejes que el sol se ponga sobre tu ira». Ciertamente, es un buen consejo.

En segundo lugar, busquémosles un escape a nuestras tensiones. Busquemos la forma de alejarnos del mundanal ruido aunque sea durante unos pocos minutos cada día. Podría ser que nos solacemos con un poco de lectura, o encontremos paz en la oración, o en la relajación. La práctica de un deporte como el correr, la natación, la marcha rápida o el ciclismo puede producir resultados maravillosos en pocos minutos. Quedaremos sorprendidos y encantados de los resultados.

Espero que estas sugerencias le ayuden a usted a manejar las tensiones que son una parte natural de aceptar un reto o fijar una meta.

Pasos de Acción

1. Hoy afrontaré situaciones de tensión inmediatamente, en vez de dejar que se desarrollen.
2. Hoy dedicaré algún tiempo a mí mismo para leer, meditar, hacer ejercicio, o hacer lo que sea necesario para relajarme.
3. Hoy yo ....

Cuida los minutos, que las horas se cuidarán solas.

Lord Chesterfield

... Lograr un Ascenso

¿Usted se ha preguntado alguna vez qué es lo que necesita exactamente para lograr un ascenso? El empresario busca ciertas características en sus subalternos para ascenderlos a puestos administrativos. Dirigir a otras personas no es una labor fácil. Por tanto, la administración busca ciertas características especiales en la persona que podría desempeñar el cargo de gerente. Veamos algunas características que usted puede desarrollar en sus relaciones de trabajo, que le darán una mejor oportunidad de lograr un ascenso.

En primer lugar está la *potencialidad, que es una característica que usted puede y necesita desarrollar. Usted debe desarrollar la destreza de exigirles a otros con habilidad y lograr que aumenten sus esfuerzos. La objetividad* es otra característica importante. Usted debe aprender a desprenderse de su ego y de sus emociones cuando discuta ciertas decisiones. Esta es una meta difícil pero se puede lograr. Igualmente se requiere *autodisciplina*, claro está. También son características muy buscadas en las empresas la *habilidad organizativa* y la *concentración enfocada* que se logra a pesar de que haya múltiples distracciones.

Tal vez la actitud más importante que usted puede desarrollar es la de no preocuparse acerca de quién tiene la buena idea. Su deber como gerente es reconocerle el mérito al creador de la idea y luego poner en ejecución dicha idea para lograr mejores resultados.

Otra característica importante del gerente de éxito es rodearse de personas que tienen más talento y mayor habilidad que él. Las compañías pagan más dinero por la *habilidad de descubrir y desarrollar* que por cualquier otra habilidad. Finalmente, si usted les agrega a las anteriores características un toque de *compasión y de verdadero interés* por sus compañeros de trabajo, su ascenso está en camino.

Pasos de Acción

1. Hoy copiaré estas características en una tarjeta, para llevarla con objeto de repasarlas con frecuencia.
2. Hoy yo ....

Duda de quien quieras, pero nunca dudes de ti mismo.

Christian Bovee

... Aprender Más

Una forma de aumentar sus posibilidades de éxito es volviéndose experto en un área particular de conocimiento o habilidad.

Día a día tenemos a nuestra disposición nuevos conocimientos a través del campo siempre creciente de los medios electrónicos. Esto quiere decir que cada vez se vuelve más difícil que un sólo hombre posea todo el conocimiento en un área del saber, debido al volumen tan enorme de información que hay disponible. Por tanto, usted puede volverse más útil para su jefe o gerente haciéndose experto en un área particular importante. Por ejemplo, es posible que usted se encuentre trabajando en bienes inmuebles. En este negocio los cambios en las modalidades de financiación son tan acelerados que es imposible que una sola persona se mantenga al tanto de todo.

Escoja usted un área que le interese y que sea de vital importancia para la compañía donde trabaja. Procure investigarla desde todo punto de vista. Lea revistas especializadas, libros asequibles sobre el tema, dialogue con personas especializadas sobre el tema, y conviértase en un depósito de información. Hágale saber a su jefe lo que usted está haciendo y comparta su información con él. Este mayor conocimiento le ayuda al jefe a ser más competente y a lucirse ante los demás.

Al especializarse en alguna rama y compartir información con su jefe, lo que está usted haciendo es volviéndolo a él más eficiente y facilitándole su trabajo. Recuerde que usted puede lograr todo lo que quiera de la vida si ayuda a un suficiente número de personas a obtener lo que ellas quieren.

Pasos de Acción

1. Hoy hallaré las áreas en que puedo ayudarles a otros adquiriendo mayores conocimientos, y comenzaré de inmediato a adquirir esos conocimientos.
2. Hoy yo ....

Lo que vale es lo que se aprende después de saberlo todo.

... Sobrevivir a un Comienzo Inestable

Si usted se encuentra involucrado en sacar adelante su negocio propio, no se desanime si tiene que sufrir algunas épocas difíciles. Algunos de los negocios más prósperos de los Estados Unidos tuvieron comienzos inestables.

La mayoría de los negocios prósperos realmente sobreviven a épocas difíciles. Por ejemplo, Virginia Stone y Alma Mitchell realizaron ventas por valor de dos millones de dólares en su fábrica de animales de felpa el año pasado; pero hace diez años, se emocionaban si lograban ganarse unos pocos dólares vendiendo en la calle, puerta a puerta, durante las horas de la noche.

Hay características comunes a los negocios pequeños que llegan a ser grandes. Primero fabrican productos que tienen un mercado seguro. Recuerde el antiguo proverbio: «Busca una necesidad y satisfazla». A medida que los tiempos cambian, las necesidades y los gustos también varían; siempre hay oportunidades para las personas emprendedoras en un país como el nuestro.

Casi todos los negocios prósperos comienzan su vida comercial en pequeña escala y son manejados por personas que «tiran el reloj», y trabajan largas horas hasta que el negocio «ha superado la cuesta». El mejor consejo que puedo darle a usted es que mantenga un presupuesto limitado y que no sobreincremente el flujo de efectivo. Finalmente, trabaje sin descanso y sea pertinaz en la búsqueda del éxito de su empresa.

Pasos de Acción

1. Hoy tendré en cuenta que aunque otra persona firme mi cheque de pago, yo determino la cantidad. Soy dueño de mi negocio, y ¡vendo o distribuyo los productos y servicios que ofrezco!
2. Hoy yo ....

Los hombres sabios de hoy afrontan el mañana sin temor.
Ernest C. Wilson

... Planear

Cuando los soldados norteamericanos regresaron a su tierra después de la segunda guerra mundial, hubo una explosión demográfica sin paralelo en la historia del país. Los soldados estaban hartos de viajar y de sufrir penalidades y deseaban sentar cabeza y formar un hogar con familia.

Todos los colegios durante el decenio de los sesenta coparon su capacidad, y los negocios que satisfacían las necesidades de ese mercado cosecharon enormes beneficios. Ahora, en este decenio, el grupo que tiene entre treinta y cuarenta años de edad será el de mayor influencia en el mercado, según los expertos. Este grupo estará aumentando tres veces más rápido que durante los últimos quince años. Eso quiere decir que habrá un mercado de primordial importancia para casas, muebles, electrodomésticos, tapices y enseres del hogar. Estos cambios en la estructura poblacional del país les abren extraordinarias posibilidades a los individuos que estén al tanto de las necesidades del mercado. El hombre de negocios inteligente debe dirigir gran parte de su potencial de crecimiento hacia el grupo que tiene esa edad, y tenerlo en cuenta siempre que vaya a tomar decisiones económicas.

Quienes deseen estar delante de la competencia tendrán que conocer el mercado y mantenerse al tanto de sus deseos y necesidades, lo mismo que de los últimos productos y tendencias que afectan a ese mercado. En cierta ocasión dijo un sabio que era mejor estar en el sitio preciso en el momento adecuado que ser la persona más inteligente de la ciudad. Creo que si usted se prepara para atender este gigantesco mercado, estará en el sitio preciso en el momento adecuado y podrá convertirse en la persona más inteligente de la ciudad.

Pasos de Acción

1. Hoy les aplicaré a mis ideas y a mis pensamientos planificación de largo alcance.
2. Hoy yo ....

Un proyecto inteligente es el primer paso hacia el éxito.

... Sobreponerse al Miedo

El éxito o el fracaso puede volverse un hábito en la vida de todos nosotros.

Es incuestionable que muchas personas nunca triunfan porque tienen tanto miedo al fracaso que ni siquiera suelen hacer el intento. El temor al fracaso puede constituir un problema serio. Las siguientes sugerencias para sobreponerse al temor al fracaso podrán ayudarle a liberarse emocionalmente para que trate honestamente de triunfar:

En primer lugar, hay ocasiones en que tenemos que obligarnos a avanzar y hacer algo. Simplemente tenemos que hacer fuerza, apretar los dientes y proseguir. Por ejemplo, es posible que nos hayan pedido que pronunciemos un discurso pero que estemos muertos de miedo. Pues bien, podría ser muy grato lanzarnos a pronunciar ese discurso a pesar de nuestro temblor de piernas y castañeteo de dientes. (A propósito, la mayoría del público no percibirá nuestro pánico).

En segundo lugar, no esperemos hasta que se dé la situación perfecta para iniciar un proyecto. Comencemos de una vez. ¡Dejémonos de esperar las circunstancias perfectas! Si vamos a esperar a que la tía Carolina se vaya de la casa, que Clodoveo resuelva su problema, que haya cambio de gobernador y que estén listos los diseños nuevos, o cualquier otro cambio que esté fuera de nuestro control, para proseguir y hacer algo con nuestra vida, tan sólo lograremos desarrollar una fracción de nuestro potencial.

Debemos superar nuestro temor al fracaso mediante el logro de pequeños éxitos. Comencemos por dar el primer paso. «Un viaje de mil leguas comienza con un paso», reza un antiguo proverbio chino.

Pasos de Acción

1. Hoy superaré mis temores enfrentándome a las cosas a las cuales temo.
2. Hoy yo ....

Los hábitos son al comienzo telarañas, y con el tiempo, cables.

... Ponga a un Hombre de su Parte

Abraham Lincoln, uno de los hombres más persuasivos de todos los tiempos, decía: «Si queremos poner a un hombre de nuestra parte, primero tenemos que convencerlo de que somos sus amigos».

Lincoln fue uno de los grandes líderes de los Estados Unidos, y es recordado por múltiples razones. Uno de sus mayores talentos era su habilidad para ganar una discusión. Tal vez es más acertado decir que tenía habilidad para lograr que los demás vieran su punto de vista. La persuasión fue una herramienta útil a Lincoln para el ejercicio de la abogacía, lo mismo que para regir los destinos de la nación.

Todos tenemos que aprender la destreza de la persuasión. Es una destreza de utilidad diaria. Podría tratarse de algo tan sencillo como lograr que nuestro hijo ponga en orden su habitación (¿dije sencillo?), o de llevar a cabo la mayor venta que hayamos hecho jamás. ¿En qué forma puede servir la persuasión?

Vale la pena hacerle caso a Lincoln: «Si queremos poner a un hombre de nuestra parte, primero tenemos que convencerlo de que somos sus amigos». La mejor forma de lograr esta meta es siendo amigos sinceros. Ciertamente, nadie trataría de convencer a un amigo para que comprara algo o tomara una decisión que no fuera lo mejor para él. El interés honesto y sincero por otra persona constituye el arma más poderosa para persuadir.

Pasos de Acción

1. Hoy mostraré un interés honesto y sincero por todos aquellos a quienes conozca.
2. Hoy yo ....

Receta para tener amigos: sea amigo.

Elbert Hubbard

... Gastar sabiamente

Hay un activo del cual todos poseemos igual cantidad —por lo menos en la actualidad.

Quisiera recomendarle algo que le levante el espíritu cuando se sienta deprimido: gaste algo. No, no hablo de dinero. Le recomiendo que gaste una cosa de la cual usted tiene tanto como cualquier otra persona día tras día. Hablo del tiempo.

El tiempo se puede gastar de diversas maneras, pero yo le recomiendo que lo pase en compañía de alguna persona que tenga pocas oportunidades de tratarse con los demás: un inválido, o alguien que viva encerrado en sus cuatro paredes, o en un hospicio, o algún pariente anciano. Esto podría ser una experiencia significativa para usted y una brisa fresca para la persona a quien visite. Además, el tiempo que usted pase con su familia es siempre una buena inversión que le dará muchos dividendos de felicidad.

A todos se nos da diariamente la misma cuenta bancaria de 1.440 hermosos minutos, los cuales podemos, o bien invertir sabiamente, o bien despilfarrar; pero no podemos guardarlos, ni meterlos al banco, ni ahorrarlos. Tenemos que usarlos. Cuídelos celosamente, úselos sabiamente, y su vida será provechosa y emocionante.

Pasos de Acción

1. Hoy tomaré conciencia de cómo estoy empleando mis preciosos 1.440 minutos, y los gastaré juiciosamente.
2. Hoy yo ....

Hay una aspiración superior a ocupar simplemente una elevada posición en el mundo, y es bajarse para levantar un poco a la humanidad.

Henry Van Dyke

... Avanzar

Cuando físicamente sentimos hambre, todo el mundo sabe que el problema se resuelve comiendo. Pero la mayor parte de las personas, por increíble que parezca, no saben qué hacer cuando sienten hambre espiritual, emocional o moral.

La respuesta al hambre emocional, espiritual o moral no es tan fácil, ni es siempre tan rápida la solución, pero sí es tan clara como el remedio del hambre física. Cuando en alguna área de su vida se encuentre usted postrado, le aseguro que existen palabras escritas o registradas de alguna otra manera, capaces de suministrarle la información y la inspiración que necesita para incorporarse.

Bien sea que haya decaído en su actitud y esté sufriendo «pensamientos perniciosos», o que se encuentre espiritual o emotivamente deprimido, he aquí lo que puede hacer:

Puede alimentar su mente y sus emociones buscando deliberadamente la compañía de personas inspiradoras, leyendo libros inspiradores sobre la motivación o enfrascándose en buenas biografías o autobiografías. Puede también escuchar música o grabaciones que le levanten el ánimo. Estas cosas modificarán su actitud y sus sentimientos, y eso significa que cambiarán su eficiencia y su productividad. El mensaje está claro: al cambiar la información de entrada, se cambia el resultado.

Pasos de Acción

1. Hoy leeré o escucharé por lo menos un trozo literario o grabación inspiradores. En seguida compartiré el mensaje con un amigo.
2. Hoy yo ....

El que sabe escuchar, no sólo es popular en todas partes, sino que con el tiempo algo aprende.

Wilson Mizner

... Empezar el Día

¡Usted puede ser el número uno!

Estoy personalmente convencido de que todos pueden ser número uno. No, yo no creo que todo individuo pueda ser el más grande, el más veloz, el más fuerte ni el más inteligente; pero sí creo que usted puede ser el número uno. Le diré cómo.

Empiece cada día de su vida mirándose al espejo y diciéndose: «Hoy voy a hacer lo mejor que pueda en cualquier cosa que emprenda». Y luego proceda a hacerlo así. Si al final del día puede mirarse otra vez a la cara y decir: «Hoy he hecho lo mejor que podía», entonces, amigo mío, será usted número uno para la persona más importante del mundo en lo que a su felicidad y a su éxito se refiere: *¡usted mismo!*

Cuando utilice lo que tiene aplicando su mejor esfuerzo, descubrirá que sus capacidades son más que suficientes para alcanzar sus objetivos. Descubrirá igualmente que, cuando más use de lo que tiene, más se le dará para que lo use.

Pasos de Acción

1. Hoy empezaré el día mirándome en el espejo y diciendo en voz alta: «¡Hoy voy a hacer lo mejor que pueda en cualquier cosa que emprenda!».
2. Hoy yo ....

«No puedo» nunca logró cosa alguna. «Trataré de hacerlo» ha realizado milagros.

George P. Burnham

... Presentar un Aspecto Atractivo

Según mi amigo Dan Bellus, lo malo de las verdades a medias es que uno siempre se queda con la mitad que está equivocada.

Seguramente ustedes habrán oído la expresión: «El hábito no hace al monje». Este adagio popular encierra una gran verdad, indudablemente, pero por lo menos en parte la refutan estas otras palabras: «Cuídese de su apariencia, porque todos se fijan en ella».

En la vida cotidiana todos, desde los jefes en la oficina o los presuntos patrones, los banqueros, los maestros, los miembros del sexo opuesto y casi todos los miembros de la sociedad, nos juzgan en parte por lo que les entra por los ojos. También pesa en este asunto el viejo dicho de que «nadie tiene una segunda oportunidad de crear una primera impresión favorable».

El mensaje de este paso hacia la cima es sencillo. Si usted está buscando empleo, o una mejora en su carrera, o una vida más feliz y de mayor éxito, escuche con atención la verdad que encierra un viejo anuncio que gozó de mucha popularidad hace algunos años: «Vista bien, piense bien, hable bien». ¡Siga ese consejo, y lo veré en la cumbre!

Pasos de Acción

1. Hoy tendré especial cuidado de mi apariencia y de mi manera de vestir.
2. Hoy yo ....

Lo más importante de todo lo que usted lleva encima es su expresión.

Janet Lane

... Crear Felicidad Instantánea

Cuando alguien tiene la audacia de prometer felicidad instantánea, sospecho que lo más probable es que uno piense: «Aquí viene éste a venderme mercancía falsificada». Les aseguro que no es ése mi intento cuando hablo de un aumento inmediato de la felicidad.

Mi buen amigo el Dr. Herb True, que es un orador fabuloso y uno de los hombres más chistosos que conozco, dice que si uno quiere ser instantáneamente más feliz, debe ensayar este ejercicio: Imagínese que ha perdido todas las cosas materiales que posee, y que al mismo tiempo ha quedado separado de todos sus amigos y todos sus parientes. Retenga esa imagen durante unos minutos. Ahora piense que de pronto vuelve a recuperar todo lo que había perdido.

Usted está en una situación mucho mejor de lo que creía, ¿no es verdad? Al leer estas palabras, mire a su alrededor. Si se encuentra usted en una oficina, en un avión, viajando en automóvil o descansando en su casa, probablemente se halla rodeado de una riqueza que asombraría a millones de habitantes de este mundo.

Viendo las cosas con un criterio práctico, lo cierto es que usted tiene muchísimas razones par estar agradecido, ¿no es verdad?

Pasos de Acción

1. Hoy haré una lista de las cosas por las cuales estoy especialmente agradecido.
2. Hoy yo ....

Recuerde que la felicidad no depende de lo que usted sea o de lo que tenga; depende de lo que usted piense.

Dale Carnegie

... Hacerse Entender

Muchas veces utilizo en mis presentaciones ejemplos sencillos. En seguida explico a mi auditorio que yo hablo y escribo para el nivel del séptimo grado escolar, tercer mes, porque he descubierto que las cosas simples las entienden hasta los profesores universitarios. Claro que esto lo digo riéndome y con la sonrisa en los labios.

Amplío este concepto citando las palabras de mi buen amigo el Dr. Steve Franklin, profesor de la Universidad Emory, que suele decir: «No se crea que el mensaje tiene que ser complicado para ser efectivo. Las palabras no tienen que ser eruditas para ser significativas. En realidad no existen sino tres colores ¡pero miren ustedes lo que hizo Miguel Angel con ellos! No hay más que siete notas, pero vean lo que Chopin, Beethoven y Vivaldi hicieron con esas siete notas. En efecto, vean lo que Elvis hizo con dos». Por lo general, el auditorio se ríe con este humorismo, pero el punto está bien claro. Las cosas pueden ser bellas sin necesidad de ser complicadas.

La elocuencia es la sencillez en movimiento. Una de las oraciones más memorables de todos los tiempos es la que pronunció Abraham Lincoln en el campo de batalla de Gettysburg. Contiene 271 palabras, de las cuales 202 son monosílabos.

Yo los invito a ustedes a que en su vida y en sus comunicaciones, ahonden en el pensamiento pero sean en sus expresiones sencillos y directos. Todo lo que se pueda entender al revés, será entendido al revés, y no ayudará en absoluto emplear una manera de hablar innecesariamente confusa. La comunicación sencilla, afectuosa y directa moverá más gente a la acción y le ganará a usted nuevos amigos, nuevos conocimientos y mayor felicidad.

Pasos de Acción

1. Hoy hablaré sencilla y directamente y no haré ningún esfuerzo por abrumar a los demás ni impresionarlos con mi vocabulario.
2. Hoy yo ....

Se dice que el vocabulario de una persona común y corriente es de unas quinientas palabras. Es un inventario pequeño, pero piénsese en la rotación.

... Visualizar el Exito

Supongo que todos comprenden que la confianza en sí mismo es una característica sumamente importante de todo individuo que tiene éxito en la vida. Lo que hay que preguntar es: ¿De dónde proviene esa autoconfianza? ¿Por qué algunos individuos rebosan confianza, mientras que otros se petrifican por su falta de fe en sus capacidades?

Lo cierto es que la confianza en sí mismo y el éxito giran en ciclos. La confianza se deriva del éxito y genera más éxito, en tanto que el éxito a su vez produce confianza. Podría pensarse, según esta explicación, que el círculo del éxito es algo así como la vieja cuestión de cuál es primero, si el huevo o la gallina. ¿Cómo entrar en ese ciclo?

La respuesta es sencilla: si usted quiere adquirir mayor confianza, debe observar los pequeños éxitos que ha logrado en su vida y alimentar las imágenes y los sentimientos que esos triunfos le han proporcionado. Olvídese de las derrotas y los fracasos que todos experimentamos. Es verdad que algo se aprende de los fracasos; pero una vez que haya aprendido esas lecciones, olvídese de las derrotas y siga pensando en los trifunfos que ha tenido en su vida, contemplándolos y alimentándolos. Se nutrirá usted con esos éxitos y su confianza aumentará, permitiéndole alcanzar otros éxitos mayores.

Visualice sus triunfos pasados, visualizando al mismo tiempo y anticipando las victorias futuras. Sembrar en la mente la semilla de la expectación positiva es la mejor manera de cosechar un fruto positivo en el futuro.

Pasos de Acción

1. Hoy haré una «lista de victorias» de mis diez mejores realizaciones durante los doce meses pasados.
2. Hoy yo ....

Espere el triunfo, y el triunfo será suyo.

Dr. Preston Bradley

... Escuchar

A todos nos gusta hablar, pero a veces nos olvidamos de la parte más importante de la conversación. Todos hemos pasado por lo menos unos pocos minutos tratando de mejorar nuestras destrezas de expresión. Tal vez la ocasión habrá sido tan sencilla como el caso del empleado que trata de organizar sus ideas antes de entrar a ver al jefe. O quizá haya sido el caso del joven que estudia las palabras con que va a hacer su propuesta de matrimonio.

Creemos que la manera como nos expresemos es muy importante, pero olvidamos que otro aspecto —nuestra capacidad de escuchar— puede ser igualmente importante. Muchas veces cometemos el error de estar pensando en nuestra próxima frase mientras nuestro interlocutor está hablando, en lugar de escuchar cuidadosamente para captar sus palabras exactas.

Cuando usted tome parte en una conversación, o en una discusión de negocios, trete de limpiar su mente de todas sus preferencias personales y de todos sus prejuicios. Esfuércese por ver la conversación a la clara luz del día. Para escuchar bien, colóquese en el marco de referencia de la otra persona. ¿Qué ha estado haciendo esa persona durante el día? ¿Cuál es su estado emotivo general? Escuche con ojos y oídos. Estos factores desempeñarán un papel importante en la manera como usted entienda el verdadero significado de las palabras que se pronuncien.

Escuchar bien es una destreza que requiere práctica, empatía y verdadero interés por la otra persona, pero los beneficios que reporta son grandes porque el que sabe escuchar aprende mucho y tiene muchos, muchísimos amigos.

Pasos de Acción

1. Hoy escucharé con el corazón y los oídos a mis seres más queridos.
2. Hoy yo ....

Al conocimiento corresponde hablar, y el privilegio de la sabiduría es escuchar.

Oliver Wendell Holmes

... Ganar Amigos e Influir en los Demás

Hace unos años Dale Carnegie escribió un libro que se tradujo al español con el título de *Cómo ganar amigos e influir en los demás*. Se han vendido millones de ejemplares y ha servido como base para muchos cursos de Dale Carnegie. El desarrollo de la personalidad, que es uno de los beneficios de estos cursos, es una destreza a la cual por desgracia no se presta la debida atención en los Estados Unidos.

Por pura curiosidad, me gustaría que ustedes pensaran en las personas con quienes tienen trato cotidiano. Casi sin excepción, los hombres y mujeres felices y de éxito son agradables, simpáticos y bien educados.

Creo que una de las cosas más provechosas que podemos enseñar a nuestra juventud, es la sencilla urbanidad básica. Confesaré que soy anticuado, pero considero que es muy importante enseñar lo que vale decir «por favor», «muchas gracias», «sí señora», «sí señor». Fíjense ustedes cuántos jefes ejecutivos y cuántos profesionales emplean expresiones como éstas, como parte de su vocabulario corriente.

Junto con las muestras de respeto y las expresiones elementales de cortesía, hay que decir también algo acerca de los buenos modales en la mesa. Según John Molloy, autor del libro *Dress for Success*, el treinta y cinco por ciento de los hombres y mujeres que fracasan en su busca de posiciones ejecutivas son rechazados por sus modales... es decir, por su falta de buenos modales en la mesa. Indudablemente la urbanidad y las buenas maneras son importantes si queremos llegar a la cumbre y mantenernos allí.

Pasos de Acción

1. Hoy prestaré especial atención a las reglas de urbanidad. Diré «muchas gracias» y «por favor» con sinceridad y de forma significativa.
2. Hoy yo ....

El hombre prudente comprende que la sinceridad es la fuerza más grande del mundo, y sigue ese camino.

Frank Crane

6.
Amor...

Donde hay amor, ahí está Dios.

... y Disciplina

Cuando el padre o la madre no disciplinan a los hijos, puede ser porque ellos tienen una imagen pobre de sí mismos. En una familia una autoimagen mala se manifiesta a veces en la renuencia de los padres a disciplinar al hijo. Esto lo esconden bajo la máscara de la permisividad: «Lo quiero tanto que no le puedo negar nada».

En el fondo, lo que sucede es que temen que los hijos se alejen de ellos o les retiren su amor. Por desgracia esa actitud hace que pierdan el control de la situación y hasta puede acarrearles la pérdida del respeto y el amor de sus hijos, porque el niño pierde la confianza en sus padres y la seguridad de saber que en la casa hay una autoridad. Pronto se perjudica también la autoimagen del niño, con consecuencias cada vez mayores.

Este es el primer paso en la pérdida del respeto a la autoridad, que finalmente lleva a la rebelión contra dicha autoridad. Lo trágico es que muchos problemas se podrían evitar si los padres y los maestros aprendieran a reconocer los síntomas de una mala autoimagen. El comportamiento del niño está diciendo claramente «compréndeme», «ámame», «quiero que te intereses en lo que yo hago».

Padres y maestros: cuando ustedes les imponen disciplina a los niños, es como si les dijeran que se interesan tanto en lo que ellos hacen, que van a ejercer influencia para dirigirlos bien en sus acciones.

Pasos de Acción

1. Hoy amaré a cuantos me rodean, hasta el punto de decirles lo que necesitan oír.
2. Hoy yo ....

Los padres que aman a sus hijos hacen lo que es necesario hacer, y no lo que los niños quieren que se haga.

... y la Bondad

Dean Cromwell fue entrenador deportivo en la Universidad de Southern California durante treinta y nueve años, y en ese tiempo produjo veintiún ganadores de campeonatos nacionales, trece poseedores de marcas mundiales, y docenas de medallistas de oro en las Olimpiadas. ¿Cómo? Dean Cromwell era un estimulador, un «buen descubridor» que recalcaba los puntos fuertes de cada uno.

Un año, en el Campeonato de Pista de la Costa Pacífica, el equipo de Cromwell necesitaba clasificarse en el evento final, que era la carrera de 1.600 metros de relevos. Pero sus integrantes eran cuatro muchachos cansados que ya habían perdido cuando les correspondió actuar individualmente. Sólo uno era bueno para los 400 metros. Cromwell reunió a los cuatro en medio de la pista, resuelto a encontrar algo bueno, positivo y *verdadero* que pudiera decir de cada uno. Al primer corredor le dijo que él era fuerte y podía adelantarse a todos los demás. Al segundo, que era diestro en el salto de obstáculos, le dijo que una vuelta sin obstáculos le permitiría ganar con facilidad. El tercero era especialista en la carrera de 800 metros; a éste le dijo que como sólo le correspondía correr 400 metros, sin duda llevaría la delantera. Al cuarto le dijo: «Usted es el mejor en la pista. ¡Vaya y muéstreles que usted es un campeón!» Dicho y hecho: el equipo se clasificó y ganó el campeonato.

Pasos de Acción

1. Hoy buscaré lo bueno en los demás y de palabra elogiaré a aquellos a quienes sinceramente pueda elogiar.
2. Hoy pondré especial cuidado en descubrir algo bueno en .... , y de palabra lo elogiaré (o la elogiaré) todo lo posible.
3. Hoy yo ....

Busque en los demás sus puntos fuertes, no sus debilidades; lo bueno, no lo malo. Casi siempre encontramos lo que buscamos.

J. Wibur Chapman

... y la Amistad

Lowell Davis, de Savannah, Missouri, tiene ochenta y tres años. Si usted lo ha conocido, él lo sabe, porque apunta los nombres. Hace unos pocos años se puso a pensar a cuántas personas había conocido en su vida. Se compró un cuaderno amarillo, dibujó un gran interrogante en la cubierta y debajo escribió: «¿Cuántas personas conoce uno en su vida?».

Tiene escritos los nombres de todos aquellos a quienes ha conocido, o por lo menos de quienes se acuerda, desde que tenía tres años. En algunos casos apunta frente al nombre algo alusivo a la persona, como por ejemplo: «Leonard McKnigth —le gusta la salsa de pollo». Lowell Davis ha conocido a 3.487 personas, cuyos nombres llenan hasta ahora sesenta y nueve páginas.

Si mis cálculos no están equivocados, el registro del señor Davis abarca 29.200 días desde aquel tercer año de su vida. Ha conocido a 3.487 personas, o sea un promedio de una cada 8,37 días. Pensemos en esto: Si él creyera que uno puede lograr lo que quiera en la vida siempre que ayude a suficientes personas a obtener lo que ellas quieren, el señor Davis habría tenido la oportunidad de ayudar a 3.487 personas a alcanzar sus metas en la vida. Si se hubiera fijado la meta de decir o hacer algo bueno para alguna persona todos los días, ¡habría ejecutado más de 29.000 buenas acciones! Reconozco que lo más probable es que el señor Davis no haya hecho una buena acción para todos los que ha conocido en su vida; pero creo firmemente que sí tiene más amigos que el noventa y nueve por ciento de nosotros, porque su conducta demuestra un sincero interés en los demás.

Cualquiera que sea su edad, usted tiene que entenderse con los demás. Nunca estará tan ocupado que no pueda por lo menos decir una palabra amable o hacer algo agradable por alguien cada día.

Pasos de Acción

1. Hoy haré o diré algo grato para ....
2. Hoy yo ....

Irradie amistad, y se la devolverán al mil por ciento.
Henry P. Davidson

... y Compartir

Se han cantado más canciones, se han recitado más versos y se han sufrido más penas por una emoción que por todas las demás: por el amor. Yo, por mi parte, creo que a éste le hemos puesto mucho misterio. En verdad, creo que el amor se aprende. Sí, aprender a amar no es lo mismo que aprender a montar en bicicleta, pero el amor se aprende. Y por eso muchos fracasan en sus afectos; porque no aprenden a amar.

Lo que yo recomiendo es esto: No guarde las experiencias agradables para ocasiones especiales. Esfuércese por compartirlas diariamente. Hágale entender a la persona amada que usted disfruta de todo momento que comparte con ella, simplemente porque lo pasa en su compañía.

Escoja actividades de las que ambos puedan gozar. Por ejemplo, un paseo a pie, un partido de tenis, o un rato dedicado a cultivar el jardín, o a navegar a vela, o aunque sea a lavar el automóvil. Lo importante es compartir a diario actividades que sean agradables para los dos.

Mucho más importante es el hecho de que usted necesita conocer lo que más pueda acerca del objeto de su amor. El amor verdadero alcanza su culminación cuando dos personas pueden ser perfectamente felices con sólo estar juntas. Por eso es por lo que siempre es deseable un noviazgo razonablemente largo. Si dos personas se sienten felices y contentas con sólo estar juntas, sin necesidad de hacer nada, son mucho mayores las probabilidades que tienen de un matrimonio feliz.

El amor se puede aprender y mejorar constantemente. Una actitud positiva de crecimiento en una relación amorosa, bien puede reavivar un fuego que se está apagando, y ciertamente puede hacer la vida más grata.

Pasos de Acción

1. Hoy aprenderé a amar más, practicando con los que me son más caros.
2. Hoy yo ....

El tiempo compartido hoy es el hermoso significado del mañana.

... y los Pagarés

¿Ha pensado usted cuánto le costaría contratar a alguien que le sirviera de vigilante nocturno, maestro, constructor, arquitecto y nodriza? Lo más seguro es que esa excelente persona ya haya trabajado para usted. ¿Quién es ese ser de tantos talentos? Su madre. Quisiera compartir con ustedes este bello tributo escrito por Marjorie Cooney:

«Mamá, me he puesto a pensar. Durante largo tiempo he tenido en mi poder algunos pagarés, y ya es hora de pagar. Mamá, te debo los servicios de vigilante nocturna, las noches que pasaste de claro en claro oyendo ruidos reales o imaginarios; las noches que pasaste en vela cuidándonos cuando estábamos enfermos, noches en que no contabas ovejas pero hablabas con el Buen Pastor.

«Aquí tengo un gran pagaré por trabajo de construcción. ¿No sabías que fuiste también arquitecta y constructora? Pues sí: trabajaste mucho para edificar nuestras esperanzas, nuestros ideales, nuestra confianza. Te agotaste uniendo a la familia con el pegamento del amor y la fidelidad. Nos inculcaste las nociones de seriedad y responsabilidad y otras no menos necesarias en la vida para poder sostener con el prójimo sanas y provechosas relaciones. Mi pagaré por servicios de enseñanza está más allá de mis posibilidades de pagar. La mayor parte de lo que he aprendido en la vida lo aprendí en tus rodillas.

Sí, mi deuda está más que vencida. Es una deuda aterradora por su magnitud. Pero bien sé que marcarías la cuenta *cancelada* a cambio de un beso y de esas cuatro palabritras que no tienen precio: 'Mamá, te quiero mucho'».

Pasos de Acción

1. Hoy cancelaré algunos de mis pagarés.
2. Hoy yo ....

Si no has sentido a menudo la alegría de hacer una obra buena, has sido negligente... sobre todo, negligente contigo mismo.

A. Nielsen

... y la Pobreza

Voy a hablar de una pobreza que no tiene nada que ver con el dinero. Lo normal es que cuando oímos hablar de pobreza, pensemos en aquellos que carecen de los medios de comprar las cosas que son necesarias para sostener la vida en un nivel tolerable. Pero hay otro tipo de pobreza que debemos reconocer para evitarla: *la pobreza de relaciones.*

Los que no pueden llevarse bien con los demás, los que no tiene amigos íntimos ni miembros de famila con quienes puedan entenderse efectivamente a diario y de forma agradable, se han empobrecido socialmene. Es trágico que alguien pase por la vida sin llegar a conocer y compartir los sentimientos íntimos, los gozos y dolores de amigos, colegas, prójimos.

Conocemos la pobreza que proviene de la falta de dinero; pero ¿qué decir de otras formas más sutiles? Una de ellas consiste en tener una idea pobre de nosotros mismos. Otra consiste en privarnos de pasar tiempo en compañía de nuestros hijos. Y hay todavía otra que se manifiesta en el hábito de guardarnos durante toda la vida nuestras risas potenciales y nuestra potencial alegría, sin hacerlas nunca efectivas.

Comprenda primero lo que usted vale, y luego lo que valen los demás. En seguida combine esos dos valores y vea y sienta cómo crece y se expande un nuevo vínculo de felicidad, junto con la estabilidad que proviene de haber establecido un «fondo de confianza en el prójimo» para precaverse contra la *pobreza de relaciones.*

Pasos de Acción

1. Hoy haré un gran depósito en mi «fondo de confianza en el prójimo» escuchando con atención, elogiando sin reparo, y creyendo sinceramente en mis semejantes.
2. Hoy yo ....

Si quieres ser amado, primero tienes que amar.

... y la Humildad

Todos somos difíciles de tratar cuando estamos equivocados... y muchos lo son aunque tengan razón. Quizás ésta sea la explicación de por qué el capellán Peter Marshall orara con estas palabras: «Señor, cuando estemos equivocados, danos la voluntad de enmendarnos, y cuando tengamos razón, permite que seamos tolerantes». Esto toca un nervio muy sensible, ¿verdad? Es difícil no vanagloriarse cuando se ha demostrado que uno estaba en lo cierto.

Los padres enseñan a sus hijos a ser buenos perdedores, porque saben que algunas veces perderán y es bueno que sepan cómo comportarse entonces. Pero me parece que nosotros los padres no les damos otra enseñanza importante, que es cómo ganar, cómo ser buenos ganadores. ¿Será porque nosotros mismos no estamos muy seguros de cuál debe ser la conducta del que gana?

La humildad es una característica muy deseable. Debiera ser bastante fácil de adquirir, ya que son tantos los motivos que todos tenemos para mostrarnos humildes. Nadie viene a este mundo por sí solo, ni alcanza el éxito ni sobrevive siquiera por sí solo. Una persona verdaderamente humilde comprende, aun en los momentos de éxito, cuánto debe a los demás. Además, no dejará este mundo como un individuo solitario porque habrá aprendido a valorar a sus congéneres. Yo estimulo al lector (como me estimulo a mí mismo) para que se ejercite diariamente en hacerse una persona tolerante.

Pasos de Acción

1. Hoy recordaré que debo «compartir la riqueza» reconociendo lo que debo a los que han participado en mis triunfos.
2. Hoy daré gracias a Dios por mis triunfos, pues debido a su gracia las cosas vienen a mí.
3. Hoy yo ....

No existe límite a lo que se puede alcanzar, si nadie se preocupa por decir a quién corresponde el mérito.

John Wooden

... y la Rebeldía

¿Queremos reducir la delincuencia? Enseñémosles a leer.

La doctora Alice Blair, superintendente del Distriuto 13 de Chicago, señala que el noventa por ciento de los delincuentes juveniles varones muestra una capacidad de lectura inferior al tercer grado escolar. Cree que la delincuencia es una manifestación del ansia de autoestimación, pues los estudiantes que no saben leer no pueden creer en sí mismos.

En 1971 la doctora Blair se encargó de la Dirección de la Escuela Elemental George Maniere, en Chicago, escuela en donde los chicos preadolescentes jugaban a los dados en los pasillos, bebían vino escondidos en los baños y arrojaban las sillas por las ventanas. Cuando ella se hizo cargo, sólo tres niños, de un total de ochocientos matriculados, leían al nivel correspondiente a su grado escolar. Después de tres años con la doctora Blair, el cincuenta por ciento de los alumnos de la escuela Maniere leían a ese nivel, o a un nivel más alto.

En el escritorio de la directora hay un cuadro que expresa su filosofía. Dice así: «Si Dios aprobara la permisividad, nos habría dado las *Diez Recomendaciones*». La doctora Blair es una mezcla de supervisora inflexible y madre comprensiva. Los muchachos necios la respetan y los chiquitines gozan con sus abrazos afectuosos. Con este método obtiene buenos resultados.

¿Ama usted lo suficiente para hacer lo que más les conviene a sus seres queridos? Si sigue usted abrazando, pero sin confundir el bien y el mal, entonces se ganará el respeto de las personas a quienes usted ama y además se beneficiará personalmente.

Pasos de Acción

1. Hoy hablaré positivamente de los demás y me apartaré de conversaciones negativas.
2. Hoy yo ....

La permisividad no es más que negligencia del deber.

... y el Aprecio

El representante por Tennessee, Ed Jones, cuenta el caso de una señora que vivía en la ciudad y que no apreciaba el tiempo que él dedicaba al comité de agricultura. «¿Qué nos importa la agricultura?», decía. «¡Todos los comestibles los conseguimos en el supermercado!».

Esta observación no tendría sentido ni para la misma señora que la hizo, si no estuviera ella obsesionada con sus propias preocupaciones. La verdad es que nuestros propios problemas nos parecen a todos más importantes que los ajenos.

Dependemos de los demás. Piense en el huevo que se comió al desayuno. Lo vendió una tienda, un camión lo transportó, un granjero lo recogió, y una gallina lo puso. Muchas personas tuvieron que ver con ello. El maíz que alimentó a la gallina lo cultivó otro agricultor que compró sus herramientas a fabricantes que emplearon a muchos trabajadores. El camión que transportó el huevo se movió con gasolina que había sido refinada y entregada por otros obreros. Descubrir toda esta cadena de dependencia podría continuar indefinidamente, pero me parece que con lo dicho basta para aclarar la idea.

Estamos en deuda con muchas personas: nuestros padres, nuestros maestros, nuestros amigos, nuestra esposa o esposo... y sigue la lista. Ninguno de nosotros vive solo y aparte. Al paso que se multiplican las maravillas de nuestra época, aumenta la influencia de cada persona, pero también su dependencia de los demás. Piense sólo en el mercado de la familia.

Pasos de Acción

1. Hoy apreciaré más a los que me rodean y les expresaré mi aprecio con sinceras palabras de agradecimiento cuantas veces pueda.
2. Hoy tendré especial cuidado de decirle a .... cuánto lo aprecio (o la aprecio).
3. Hoy yo ....

Apreciar lo que tenemos es por lo menos la mitad del verdadero sendero de la vida.

... y la Juventud

¿Tiene esto un eco familiar para usted: «Los hijos ya no obedecen a los padres y devoran la comida»? Parece muy grave, ¿verdad? Hoy hay personas que tienen un concepto muy negativo de nuestra juventud... pero antes de pasar adelante permítanme aclararles que la anterior afirmación se escribió hace más de cuatro mil años, en algún lugar del Valle del Nilo.

Desde que el mundo es mundo ha habido quienes piensan que su generación es la peor o la más perversa de todas. Y aun hoy hay personas que creen que nosotros, como nación, no tenemos porvenir. Debo reconocer que hubo un tiempo, por allá en los años sesenta y setenta, cuando yo también sufrí un poco de pesimismo y empecé a temer que quizá habíamos perdido el camino y que íbamos cuesta abajo.

Por fortuna ahora el péndulo está oscilando otra vez hacia una visión más sana y más sólida de la vida. Cuando los padres empiecen a enseñar el respeto y la disciplina, agregando a ello mucho amor, nuestros jóvenes se podrán preparar realmente para carreras productivas. Yo creo que los muchachos de ahora son inteligentes y listos y merecen el beneficio de que se les enseñe disciplina y responsabilidad. Esa es la única manera como pueden crecer y prepararse para tomar las riendas de los negocios y del gobierno y dejar brillantes perspectivas para la generación que ha de seguirles.

Pasos de Acción

1. Hoy buscaré lo bueno en los jóvenes con quienes trate, les daré una visión positiva compartiendo con ellos ideas de disciplina y responsabilidad.
2. Hoy yo ....

Los jóvenes de una nación son los fideicomisarios de la posteridad.

Benjamín Disraeli

... y Odio

El reverendo Rudy Baker, de la Iglesia Metodista de San Juan, en Augusta, Georgia, cuenta el caso de una mujer a quien el médico encontró escribiendo desesperadamente, después de haber sido mordida por un perro rabioso. Supuso el facultativo que estaría redactando su testamento y trató de consolarla diciéndole que no tenía necesidad de hacer tal cosa, que seguramente viviría y se curaría con una inyección que le iban a poner. La mujer se quedó mirándole y le dijo: «No me preocupa la muerte. Es que estoy haciendo la lista de todas las personas a quienes voy a morder antes de que me pongan la inyección».

Yo no sé si esta historia será cierta o inventada, pero lo que sí sé es que si nos llenamos de odio contra los demás, ese odio se volverá contra nosotros mismos. Psicológicamente, la Biblia tiene toda la razón cuando nos dice que perdonemos a nuestros enemigos y que les pidamos perdón. Lo más probable es que usted esté por lo menos en parte equivocado, y una vez que haya arreglado sus cuentas con ellos, podrá arreglar cuentas también consigo mismo. Cuando su mente esté libre y limpia de odios, podrá realizar muchísimo mejor cualquier cosa que se proponga realizar.

Pasos de Acción

1. Hoy libraré mi mente del odio perdonando y pidiendo perdón a una persona con quien he tenido una disputa. Esa persona es ....
2. Hoy yo ....

Es difícil vivir en el presente, ridículo vivir en el futuro, e imposible vivir en el pasado.

Jim Bishop

... y Bondad

Un acto de bondad y compasión le salvó la vida al doctor Pinel. La historia es así:

Ocurrió en París, en el siglo dieciocho. Llevaban a presidio a un hombre llamado Chevigne, pese a que no había cometido ningún crimen. Pocas semanas antes, había perdido el seso. El populacho que lo veía pasar se burlaba de él. El carro de la prisión pasó frente a una ventana, desde la cual lo vio un médico llamado Phillipe Pinel, quien se sintió abrumado por el abatimiento sin esperanza que se reflejaba en la mirada del infeliz Chevigne.

Años después, Pinel se hizo acreedor a la gratutid de los enfermos mentales como precursor de un tratamiento humanitario para sus dolencias. Fue nombrado director del establecimiento a donde había sido conducido Chevigne, y encontró que a este pobre lo tenían encerrado en un calabozo. Inmediatamente ordenó que se le pusiera en libertad.

Con el transcurso de los años surgieron del seno mismo de la comunidad médica protestas contra las innovaciones que Pinel había introducido en el tratamiento de los enfermos, y en una ocasión el doctor Pinel fue víctima de una turba enfurecida. Del seno de ésta, sin embargo, surgió un hombre que lo defendió y lo llevó a un lugar seguro. «Le debo a usted la vida», le dijo el médico agradecido. El otro le contestó sonriendo: «Hace dos años yo estaba encadenado en un calabozo y usted me puso en libertad. Yo soy Chevigne».

Cuando uno hace algo por alguna persona que no puede pagar inmediatamente ese favor, es un verdadero acto de amor. Si usted hace lo que sabe que es el bien, y lo hace con amor, ¡buenas cosas le sucederán!

Pasos de Acción

1. Hoy actuaré con bondad y compasión hacia todos los que encuentre.
2. Hoy yo ....

La bondad consiste en amar al prójimo más de lo que se merece.

... y Estímulo

¿Podrán los gritos y los vítores meter un gol o una canasta? Es un hecho sabido que el campo o cancha local le da a uno de los equipos atléticos competidores una señalada ventaja. El líder de los que vitorean y el público bien podrían no distinguir entre un pase y un tiro directo, pero sí saben perfectamente cuándo su equipo lo está haciendo bien. No escatimarán gritos y zapatazos para animar a los suyos. Tanto los entrenadores como los jugadores afirman repetidamente que el apoyo de los aficionados locales que los estimulan, los aplauden y los vitorean le da al equipo local una ventaja equivalente a varios puntos.

Qué pena que no valoremos ni capitalicemos el factor de estímulo en nuestra vida cotidiana. Maridos y esposas deberían aplaudirse mutuamente, los padres deberían estimular y elogiar a sus hijos, y éstos a su vez deberían animar a aquéllos. Lo mismo se puede decir de jefes y empleados.

Esta actitud haría los negocios más productivos, lo cual significaría más dinero para todos y mejor servicio para los clientes. El mensaje es claro y sencillo. Si todos vitoreamos y estimulamos a nuestros amigos, parientes y asociados, nuestro país sería una patria mejor aún para vivir y trabajar.

Pasos de Acción

1. Hoy aplaudiré y estimularé a ....
2. Hoy yo ....

Dondequiera que haya un ser humano, hay una oportunidad para un acto de bondad.

... y la Impresión que Se Causa

Una atractiva dama fue invitada a cenar por William Gladstone, el distinguido estadista británico. Al día siguiente asistió a una comida donde se sentó al lado de Benjamín Disraeli, el no menos ilustre adversario de aquél.

Poco después le preguntaron a la dama cuál era su opinión sobre aquellas dos notabilidades, y contestó así: «Después de cenar con el señor Gladstone, quedé convencida de que él es el hombre más inteligente de Inglaterra; pero después de comer con el señor Disraeli, quedé convencida de que yo soy la mujer más inteligente de Inglaterra».

Este ejemplo es intrigante porque contiene mucho sentido común y mucha verdad. Si usted quiere persuadir a las personas y convencerlas de su manera de pensar, el mejor método es hablarles de sus propios intereses. Hágales sentir que tienen valor como personas, que son capaces de desempeñar su tarea, que tienen potencial y habilidad.

Si usted es sincero, los demás llegarán a la conclusión de que usted es una buena persona.

Pasos de Acción

1. Hoy me esforzaré por satisfacer en los demás lo que alguien ha llamado «la mayor necesidad humana», la necesidad de sentirse importante. La satisfaré mostrando un interés sincero en cada individuo con quien tenga que tratar.
2. Hoy yo ....

El egoísmo, con mucho puede hacer poco; pero el amor, con poco puede hacer mucho.

... y Ayudar a los Demás

Cuando Sir Edmund Hillary y su guía nativo, Ten Sing, hicieron su famoso ascenso al monte Everest, fueron los primeros hombres en la historia que coronaron aquella máxima elevación. Bajando de la montaña, a Sir Edmond se le fueron los pies, pero Ten Sing aguantó la cuerda templada y evitó que ambos rodaran montaña abajo clavando su hacha en el hielo.

Ten Sing no quiso aceptar ningún encomio por haber salvado la vida de Hillary. Consideraba que lo que había hecho era un asunto de rutina, parte de su oficio, y lo expresaba con sencillez pero con verdadera elocuencia diciendo: «Los montañeros siempre nos ayudamos unos a otros».

¡Qué fantástica filosofía! Y qué lástima que esta filosofía no sea adoptada por todo el mundo en este país. Cuánto mejor estaríamos si se adoptara. Tal vez no todos adopten esta norma, pero como usted acaba de leer el mensaje, usted sí puede hacerla suya. Esto significa que usted estará mejor, y lo estarán también todas las personas sobre las cuales usted ejerza influencia. Si un número suficiente de personas escuchan esta sana filosofía y hacen correr la voz, todos tendremos una patria mejor.

Pasos de Acción

1. Hoy recordaré que los seres humanos siempre se ayudan los unos a los otros. Buscaré oportunidades de ayudar a los demás.
2. Hoy yo ....

El deber nos lleva a hacer bien las cosas, pero el amor nos induce a hacerlas bellamente.

... y la Riqueza

Según el Evangelio (Mateo 19: 24-26), Jesús dijo: «Más fácil trabajo es pasar un camello por el ojo de una aguja, que entrar un rico en el reino de Dios». Oyendo esto, los discípulos se espantaron y dijeron: «¿Quién entonces podrá salvarse?» Y mirándolos Jesús les dijo: «Para los hombres esto es imposible; mas para Dios todo es posible».

Algunos intérpretes pretenden que el «ojo de la aguja» se refiere a un portillo que había en la base de la muralla en la antigua Jerusalén, y que un camello, arrodillándose, podía escurrirse por allí, cosa que no era fácil pero era posible. Eso no es lo que dice este pasaje, si se atiende a la reacción de los discípulos. Jesús se refiere a un camello de verdad, que pasara por el ojo de una aguja de verdad.

¡Y esto es imposible! Este es el significado del pasaje bíblico. Así como un camello no puede pasar por el ojo de una aguja, tampoco puede una persona (rica o pobre) salvarse por su propio esfuerzo. Para que un camello pasara por el ojo de una aguja tendría que intervenir Dios. Para que una persona se salve, Dios tiene que salvarla. Eso fue justamente lo que Dios, en Cristo, hizo por nosotros.

Muchas personas sufren porque tratan de justificarse ante Dios por sus propios medios. Creen justificarse yendo a la iglesia, o dando limosnas, o haciendo buenas obras. Pero recuerde que un camello, por más que haga, jamás podrá pasar por el ojo de una aguja. Tiene que ocurrir algo sobrenatural, algo milagroso. Lo mismo ocurre en nuestras relaciones con Dios. Tenía que ocurrir un milagro, y el milagro ocurrió: ¡ocurrió para usted!

Pasos de Acción

1. Hoy confiaré totalmente en Dios.
2. Hoy yo ....

Porque de tal manera amó Dios al mundo, que ha dado a su Hijo unigénito para que todo aquél que en El cree, no se pierda, mas tenga vida eterna.

Juan 3: 16

... y los Niños

Jodie está dispuesta a ir a cualquier parte del mundo para conseguir un niño.

Jodie Darragh es una mujer de su casa, lista, bonita, compasiva y enérgica. Vive con su esposo, Dick Darragh, que es representante de ventas, en una casa típica de clase media, con su hipoteca de clase media, sus impuestos, reparaciones del automóvil, y atención odontológica para sus tres niños.

Pero desde la mesa de la cocina en su modesta casa en Marietta, Georgia, los dos manejan una agencia internacional de voluntariado bajo la razón social de Americans for International Aid. Han salvado a millares de niños de la muerte, las enfermedades y el hambre. ¿Cómo lo hacen? Con amor, voluntad, y mucho trabajo. Quieren salvar niños en Vietnam, en Colombia, en la India, en Corea y en otras partes del mundo donde hay necesidades.

Por medio del teléfono, o del correo, o de visitas personales, todos los días Jodie pone en comunicación a centenares de voluntarios y voluntarias que son ayudantes de vuelo y que se encargan de recoger y entregar niñitos; a docenas de agencias de adopciones y misiones de socorro; y a centenares de parejas norteamericanas que desean adoptar niños.

Cuando uno entra en casa de Jodie, lo más probable es que esté sonando el teléfono, llevando lágrimas, risas, peticiones. Puede ser Ted Koppel del programa «Nightline» de la ABC que solicita una entrevista; o puede ser el senador Jeremiah Denton que busca información sobre cierto proyecto de ley. O bien puede ser alguno de los cien padres y madres que están esperando y preguntan: «¿Ya salió el avión? ¿Cree usted que llegará hoy la niña?» Jodie siempre les contesta: «Siéntese, tómese una taza de café, y tranquilícese. Su niñito (o niñita) ya viene».

A Jodie y Dick nadie les paga por su trabajo. Por el contrario, un veinte por ciento del sueldo duramente ganado de Dick lo dedican a esta obra de misericordia. «Es la obra de Dios» dice Jodie. «Dios tiene que andar metido en esto, o si no, no funcionaría».

Si como Jodie y su marido, usted da lo que tiene cuando puede darlo, entonces con seguridad lo veré a usted en la cima.

Pasos de Acción

1. Hoy buscaré la manera de ayudar a los que necesitan ayuda.
2. Hoy yo ....

Entonces los justos le responderán diciendo: Señor, ¿cuándo te vimos hambriento y te dimos de comer, o sendiento y te dimos de beber? ¿Y cuándo te vimos peregrino y te acogimos? ¿o desnudo, y te cubrimos?... Y respondiendo el rey, les dirá: De cierto os digo que cuando lo hicísteis con uno de éstos, mis hermanos pequeñitos, conmigo lo hicísteis».

Mateo 25: 37-40

... y el Matrimonio

Los esposos que oran juntos, permanecen juntos. Los que adoran, permanecen casados. Por desgracia hay parejas que no han vuelto a poner los pies en la iglesia desde el día de la boda. ¡Y después se sorprenden de verse, a los cuatro años y medio, discutiendo con el abogado las condiciones del divorcio!

¿Qué hace por el matrimonio la asistencia a la iglesia? En primer lugar, evita que éste se desbarate. Ir juntos a la iglesia es como llevar su automóvil al taller original de servicio y mantenimiento. Los que fabricaron el coche son los que mejor saben cómo conservarlo en buen estado. El que creó el matrimonio es el que mejor sabe cómo conservarlo en buen estado. Su «manual de servicio» es la Biblia y su «taller de reparaciones» es la iglesia.

En segundo lugar, allí se relaciona usted con personas que aprecian el matrimonio tanto como usted. En una revista vi este título: «Usted sí puede quitarle a ella el marido», y en el anuncio de una película reciente se decía: «Primero, la buena noticia: Carlitos emprende su primera aventura amorosa. Y ahora la mala noticia: la aventura es con la madre de su compañero de habitación».

¿Por qué ha de ser «buena noticia» que un chico tenga una aventura amorosa? ¿Y por qué alentar a una muchacha para que le quite a otra su marido? ¿Cómo puede uno protegerse de estos ataques contra el matrimonio? Tratándose con personas que aprecian tanto como uno mismo el matrimonio.

En tercer lugar, la iglesia nos recuerda el compromiso del amor. Jesús habló de su forma más alta: «Nadie tiene mayor amor que éste: que dé alguno su vida por sus amigos» (Juan 5:13). En la iglesia, por los sermones y el estudio de la Biblia, se nos recuerda que «dar la vida» incluye también los sacrificios muy prácticos de colocar los intereses y los sentimientos del cónyuge por encima de los propios. Vemos que así proceden nuestros amigos cristianos y esto nos estimula para seguir su ejemplo. En la iglesia se nos recuerda públicamente y vemos públicamente ejemplos de la belleza del amor.

Es interesante observar que al primer lugar a donde acuden los que padecen angustias y dolores es a la iglesia. Todo el mundo sabe, en el fondo de su corazón, que el amor está donde está la iglesia. ¿Quiere usted conservar su matrimonio vivo y sano? Ponga a Dios en el centro.

Pasos de Acción

1. Hoy concederé particular atención a mi marido (o a mi esposa) diciéndole alguna cosa agradable, o que sea en elogio suyo.
2. Hoy yo ....

Maridos, amad a vuestras esposas así como Cristo amó a la Iglesia, y se entregó por ella.

Efesios 5: 25

... y la Pila de Desechos

Conozco un herrero que puso en su taller este letrero: «Señor, al fuego, no a la pila».

¿Qué quería decir con esto? Lo explicó de esta forma: «Pues sabrá usted que aquí echo las herraduras, y cuanto más caliente esté el fuego, tanto mejor. Después de un rato saco la herradura, la pongo en el yunque y la golpeo con el martillo para ver si el hierro está bastante duro y resistente. Si es así, vuelvo a meter la pieza al fuego y con ella hago en seguida la herradura terminada; pero si el hierro se dobla o se raja porque no está bien duro, no me sirve y lo tiro a esa pila de desechos». Señor, al fuego, no a la pila.

Dios ha dicho: «No os marvilléis cuando seáis examinados por fuego, lo cual se hace para vuestra prueba, como si alguna cosa peregrina os aconteciese» (I Pedro 4: 12). El permite las pruebas de fuego para endurecernos. Las personas no probadas son tan inútiles como la chatarra en la pila de desechos. Dios nos manda problemas para endurecernos. Nos manda problemas para formarnos.

Nadie goza con los diversos problemas que le caen encima: pérdida del empleo, falta de noticias del novio, desgracias familiares, traición de un amigo, muerte de un ser querido. Nadie anda buscando problemas; pero cuando Dios los manda, debemos ver en ellos cuál es su propósito.

Sabemos que el Señor permite que se presenten problemas, no para detenernos sino para impulsarnos. El nunca nos detiene; siempre nos impulsa.

Pasos de Acción

1. Hoy buscaré el propósito en las «oportunidades» —que algunos llamarían «problemas»— que se me presenten.
2. Hoy yo ....

Y sabemos que Dios ordena las cosas para bien de los que le aman, para bien de los que han sido llamados según su designio.

Romanos 8: 28

... y la Oración

Las personas que creen en Dios no tienen ningún reparo en orar por los demás, pero a veces no les parece bien rezar por sí mismas. ¿Está bien pedir a Dios por uno mismo? Claro que sí.

La Biblia da cuatro ejemplos. En Lucas 18: 1-7 se cuenta la parábola de una viuda que acude una y otra vez a un juez en demanda de justicia. El juez al principio no le hace caso, pero al fin accede a lo que la demandante pide. Jesús encomia el ejemplo de la viuda e insta a sus discípulos «a orar y nunca darse por vencidos». Dios es nuestro Padre. Sabemos que nuestros padres terrenales se complacen en darnos. Sabemos que les complace que acudamos a ellos y hablemos de nuestras peticiones.

En Mateo 7:7 (que es parte del Sermón de la Montaña) dice Jesús: «Pedid, y se os dará; buscad, y hallaréis; llamad, y se os abrirá». Sepa lo que necesita y pídaselo a Dios. Un gran impedimento para la oración no está en Dios: está en la persona que ora. Escriba lo que quiere hablar con Dios. Si esto es apropiado y bueno, El abrirá la puerta y se lo dará.

Mateo (26:39) registra la agonía de Jesús en el huerto de Getsemaní. Allí en el huerto oró por sí mismo diciendo: «Padre mío, si es posible, aparta de mí este cáliz». Pero obsérvese que agregó estas palabras importantes: «empero, hágase tu voluntad y no la mía».

En el Padre Nuestro, que es la oración modelo, Jesús nos enseñó a hacer la petición específica: «Danos hoy nuestro pan de cada día». Ponga sus necesidades delante de Dios. El es su Padre. A El le complacerá saber de usted.

Pasos de Acción

1. Hoy haré en una hoja de papel la lista de mis necesidades y pediré a Dios que me ayude a satisfacerlas, sabiendo que serán satisfechas de la forma en que Dios quiera, a su tiempo, y no a mi manera.
2. Hoy yo ....

Fíate de Jehová de todo tu corazón, y no te apoyes en tu propia prudencia. Reconócelo en todos tus caminos, y El enderezará tus veredas.

Proverbios 3: 5, 6

... y Habilidad

El doctor Norman Vincent Peale narra una visita que hizo una vez a una familia pobre, y el interesante diálogo que ocurrió. «El marido, Bill, se quejaba amargamente de las dificultades que pasaban, pero su esposa sostenía la conversación alegremente y decía: Dios nos mostrará el camino.

«Observé que estaba trabajando un objeto de tela brillante, algo que parecía un mitón, y le pregunté qué era aquello: Oh —me dijo— no es más que un protector para no quemarme las manos con las ollas calientes.

«A mí entonces se me vino una idea a la cabeza, enviada por Dios para corresponder a la fe de aquella buena mujer, y le dije: —¿Por qué no manda el protector con Bill al gran almacén? Se me ourre que se lo podrían comprar. De todos modos, nada se pierde con ensayar.

«Dicho y hecho. Bill fue a ver al comprador y, para sorpresa de todos, obtuvo un pedido de doce docenas de protectores. Así, de esta manera tan sencilla, comenzó un negocio que creció y llegó a dar empleo a un buen número de personas.

«Es bien curioso —comentaba Bill— cómo Dios contesta nuestras oraciones con protectores».

¿Qué era lo que tenía la mujer en la mano? Un protector. Y Dios se valió de él para sacar a una humilde familia de la miseria y el desconsuelo. «¿Qué es eso que tienes en la mano?» preguntó también Dios a Moisés. «Una vara», contestó Moisés. Y el Señor le dijo: «Me serviré de esa vara que tienes en la mano para realizar cosas poderosas para librar a los hijos de Israel».

¿Qué tiene usted en su mano? Esa es la pregunta que Dios le hace. Ah, ya sé lo que dicen algunos: «Si yo tuviera el dinero que tiene Rockefeller, o la voz de Roberta Peters, o el talento de Einstein, ¡qué no haría por el Señor!» Contestar a semejante fantasía es lo más sencillo del mundo. Si usted no está utilizando lo que ya tiene, no utilizará lo que no tiene.

¿Qué es lo que tiene ahora en la mano, que puede utilizar inmediatamente?

Pasos de Acción

1. Hoy utilizaré mis habilidades de la forma que Dios querría que las utilizara.
2. Hoy yo ....

Ahórrese el tiempo de estar pensando que puede hacer el oficio del otro mejor que él... y dedíquelo a hacer mejor su propio oficio.

H. A. Schenfeld

... y Agradecimiento

En un artículo que leí hace poco, mi amigo Neil Gallagher, distinguido autor, escribe sobre el agradecimiento. Oigámosle:

Hoy y gracias a Dios porque:

Puedo ver
— el esplendor del arco iris
— el diseño de un copo de nieve
— el oro del sol
— el color púrpura y rosa del crepúsculo

Puedo oler
— pescado fresco
— limones recién cortados
— el heno que acaban de segar
— nenes untados de polvos de talco

Puedo oír
— remolques que vuelan por la carretera
— el timbre del teléfono
— un agitado jazz y una canción tranquila
— el secreto al oído de un nietecito

Puedo sentir
— el abrazo de la persona amada
— el pellizco del frío y el aguijón del dolor
— el palpitar del corazón y el parpadeo de los ojos
— las venas de una hoja

Puedo gustar
— el escozor de una salsa picante en la lengua
— el crujir de las patatas fritas y la suavidad del yogur
— el sabor acre de la naranja recién cortada
— la madurez del té con especias

Hoy doy gracias por tener ojos, nariz, oídos, tacto y lengua —avenidas por donde nos llega el conocimiento de las cosas buenas del mundo y de la bondad de Dios.

Hoy doy gracias por mi familia y mis amistades, mi fe y mi bandera.

Hoy doy gracias por todo

Hoy digo: «Señor, ya me has dado mucho. Dame una cosa más: un corazón agradecido».

¿No es esto un bello pensamiento? Gracias, Neil, por estas hermosas palabras que se comunican con tanta claridad.

Pasos de Acción

1. Hoy pasaré el día con gratitud en el corazón por «las pequeñas cosas» de la vida.
2. Hoy yo ....

Dando gracias siempre de todo.

Efesios 5: 20

... y Prevención

¿No ha notado usted que la mayor parte de sus amigos aceptan su buen comportamiento sin alharacas ni comentarios? Pero en cuanto haga algo mal, se le vienen encima con advertencias, reprimendas y a veces cosas peores.

Estoy seguro de que usted lo habrá notado en los demás; pero ¿se ha puesto a pensar que quizá usted mismo incurra en esa culpa? Tal vez comete el error de dar por supuesto el buen comportamiento de sus amigos, su esposo o esposa, o sus hijos. Es posible que no haya apreciado el hecho de que sus hijos van muy bien en la escuela, que conducen el automóvil con prudencia y sentido de responsabilidad, y tienen amigos que son buenos ciudadanos. A veces no hacemos caso de las cosas buenas y sólo nos fijamos en lo negativo.

Permítame recomendarle que ensaye un poco de «amor preventivo». Estimule hoy a sus hijos elogiándolos por aquellas áreas de su vida en que lo están haciendo bien. Practique el amor preventivo dentro de su propia familia, y fórmese el hábito de encomiar a los amigos, a los compañeros de trabajo y a los conocidos.

Si pone en práctica el amor preventivo, fomentará en los demás aquellas características que les ayudarán a ser ganadores; y al ayudarles a ser ganadores, lo será usted también.

Pasos de Acción

1. Hoy practicaré el amor preventivo estimulando a .... y a ....
2. Hoy yo ....

Así como un jardín abandonado pronto se llena de malezas, un amor mal cuidado se ahoga bajo sentimientos inhumanos.
André Maurois

7.
Perseverancia...

Pelea un asalto más. Cuando sientas los pies tan cansados que tienes que arrastrarlos para volver al centro del cuadrilátero, pelea un asalto más. Cuando tengas los brazos tan cansados que casi no puedes levantar las manos para ponerte en guardia, pelea un asalto más. Cuando estás sangrando por la nariz y tienes los ojos negros y te sientes tan desfallecido que quisieras que tu contrincante te pusiera fuera de combate con un buen golpe en la mandíbula, pelea un asalto más... recordando que el hombre que pelea un asalto más, nunca es vencido.

James J. Corbett

... y Esperanza

Durante ocho años escribió cuentos y artículos para publicarlos, pero durante ocho años todos le fueron rechazados. Sin embargo, no se dio por vencido, y por ello todos debemos estarle agradecidos.

Cuando prestó servicido en la Marina escribió una montaña de informes y cartas. Terminado su período de servicio en la Marina, se empeñó denodadamente en sobresalir como escritor y durante ocho años estuvo enviando sus cuentos y artículdos a las revistas, sin poder vender ni uno solo. En una ocasión un editor, al devolverle la colaboración ofrecida, le mandó una notita en que lo estimulaba diciéndole: «No está mal». Al joven escritor se le saltaron las lágrimas y adquirió nueva esperanza.

No era hombre de darse por vencido. Tras muchos años de esfuerzo escribió al fin un libro que afectó profundamente a todo el mundo. Lo tituló *Raíces*. Sí, Alex Haley, después de años de diligente aplicación, vio por fin coronados sus esfuerzos llegando a ser uno de los escritores de mayor éxito e influencia de los años setenta.

Persevere, tenga esperanza y trabaje de firme por su ideal. Perseverancia, dedicación, esperanza y trabajo duro tal vez no suenen como una cosa muy emocionante, pero son los ingredientes necesarios para sacarle a usted de la mediocridad y convertir su sueño en realidad.

Pasos de Acción

1. Hoy perseveraré, tendré esperanza, trabajaré duro, y mañana cosecharé la recompensa de lo que hoy siembre.
2. Hoy yo ....

Para recorrer las jornadas más difíciles, no es preciso dar más que un paso a la vez, pero hay que seguir dando pasos.

... y Concentración

Thomas Edison realizó más cosas en su vida que la mayoría de los mortales. Su contribución a la sociedad moderna es casi imposible de medir. Inventó el fonógrafo, la locomotora eléctrica, el micrófono, un método de construir edificios de hormigón, un dispositivo para producir metal laminado, una caja de señales telegráficas, y, por supuesto, la bombilla eléctrica incandescente.

¿Cuál es la cualidad que posee un individuo, que lo capacita para hacer un aporte tan gigantesco a la sociedad? ¿Es el genio? ¿Es la oportunidad? ¿Es la suerte?

Tal vez nunca sabremos las respuestas a estos interrogantes, pero sí sabemos una cosa sobre la vida de Thomas Edison. Trabajaba largas horas. Tenía la capacidad de concentrarse, de enfocar toda su inteligencia, cuerpo y alma en un proyecto específico hasta que lo terminaba de forma satisfactoria. La capacidad de concentración fue un ingrediente esencial en el éxito de Thomas Edison. Cuando estaba trabajando en un proyecto, se ponía las anteojeras para no ver sino el proyecto que tenía entre manos. Desarrolló la facultad de ver como por un túnel, sin permitir distracción alguna. Su perseverancia se hizo legendaria. Llevó a cabo más de diez mil experimentos antes de producir la primera luz incandescente.

¿Y usted, qué puede decir de sus propios proyectos? ¿Tiene metas en las cuales pueda concentrar toda su mente, cuerpo y espíritu?

Pasos de Acción

1. Hoy identificaré las cinco tareas más importantes para mi éxito, me pondré anteojeras y trabajaré intensamente hasta quedar satisfecho con el trabajo.
2. Hoy yo ....

El trabajo nos da algo más que el sustento; nos da la vida.
Henry Ford

... y Trabajo

¿Qué diría usted si se viera obligado a abandonar su patria, dejar a su familia y amigos, y trasladarse a un país extranjero para empezar de nuevo? Eso le ocurrió hace más de veinte años a Carlos Arboleya, cuando Castro se apoderó de los bancos en Cuba.

En 1960 Carlos había ascendido hasta el cargo de funcionario de cuentas corrientes en uno de los mayores bancos de Cuba, pero una mañana al llegar al trabajo se encontró con que el nuevo régimen comunista había expropiado todos los bancos privados del país. Tres semanas después, Carlos logró salir de Cuba con su esposa y su hijito, para buscar la libertad en los Estados Unidos.

Llevaba consigo cuarenta y dos dólares, pero no tenía empleo ni conocía a nadie en su nuevo país. Visitó todos los bancos de Miami en busca de trabajo, mas sin éxito. Por fin encontró oficio en una fábrica de calzado, como encargado del inventario. Trabajó allí con tanto empeño, que a la vuelta de dieciséis meses había llegado a ser gerente de la fábrica. Poco después le ofrecieron un puesto en el banco donde la compañía tenía su cuenta. Lo demás es historia. Carlos Arboleya es hoy uno de los más distinguidos banqueros de los Estados Unidos.

De empleado de inventario en una fábrica de zapatos a presidente de la mayor cadena de bancos en Miami: ésa es la historia de un refugiado de espíritu positivo. Dónde empiece uno, no tiene importancia. Lo que importa es a dónde llegue.

Pasos de Acción

1. Hoy empezaré donde estoy, con lo que tengo, y comenzaré mi marcha hacia el éxito.
2. Hoy yo ....

Poco y a menudo, suma mucho.

... y Determinación

Hace cinco años Patricia Slagle tenía cincuenta y estaba buscando trabajo. Hoy tiene unos ingresos que se escriben con seis cifras.

Había pasado toda la vida en Syracuse, Nueva York, cuidando de sus cuatro hijos y dando ocasionalmente clases de piano. Su matrimonio se desbarató y durante seis años estuvo ganando algún dinero en diversos oficios.

Una amiga le sugirió que tratara de meterse en el mundo de las finanzas, pero las casas de banca y bolsa no tenían interés en una principiante de cincuenta años. Durante las entrevistas, dice Patricia, «tragaba saliva y fingía una confianza que estaba lejos de tener». Por fin, tanto porfió que se salió con la suya. La compañía Merril Lynch la contrató como corredora de valores.

La mudanza a una nueva comunidad y una nueva profesión fue difícil, pero la motivación era fuerte: Patricia necesitaba el dinero. Tampoco le llegó fácilmente el éxito en ese nuevo campo de actividades, pero la perseverancia y determinación que le habían abierto las puertas de la oportunidad le dieron el combustible que necesitaba para aprovechar esa oportundidad. Hoy, a la edad de cincuenta y seis años, Patricia Slagle disfruta de unos ingresos que se escriben con seis cifras, gracias al trabajo duro y al valor de ensayarlo.

Pensamiento: Uno nunca sabe de cuánto es capaz hasta que lo ensaya.

Pregunta: ¿No cree usted que se debe a sí mismo esa oportunidad?

Pasos de Acción

1. Hoy trabajaré diligentemente, y no tendré miedo de hacer el esfuerzo —y un esfuerzo extra— que significará el triunfo.
2. Hoy yo ....

Siga ensayando. El monte sólo parece alto cuando se ve desde el valle.

... y Acción

Teresa Bloomingdale dice que ella nunca ve las cosas como tragedias. En 1975 un tornado le destruyó totalmente la casa, pero ella y nueve de sus hijos se salvaron refugiándose en el sótano. Cuando pasó el huracán, lo primero que pensó fue: «De todas maneras, nos íbamos a mudar... Ahora ya no tendré que empaquetar nada». ¡Esto sí que es ser optimista! (Se ha dicho que optimista es el que, cuando se le despedazan las suelas de los zapatos, dice: Ahora estoy otra vez de pie).

Pero así es como piensa Teresa Bloomingdale. Resolvió empezar a escribir como profesional cuando tenía cuarenta y dos años de edad y sus diez hijos fluctuaban entre los dos y los catorce. Ahora recuerda: «En casa tenía tres chicos en edad preescolar y dos perros. Escribía en la mesa del comedor con el bebé en las rodillas y otro que apenas gateaba entre mis piernas... porque si se soltaba me desmantelaba la casa».

Teresa escribía en cualquier momento libre. Después de muchos rechazos, vendió su primer artículo por diez dólares. Sólo utilizaron un párrafo de las tres mil palabras que contenía su colaboración, pero siguió escribiendo. En 1977 apareció su primer libro; en 1982 la aceptaron como colaboradora de la revista *McCall's*. Hace poco la editorial Doubleday firmó con ella un contrato por valor de doscientos cincuenta mil dólares. Teresa no podía detener un tornado, pero el tornado tampoco pudo detener el optimismo de Teresa Bloomingdale.

Pasos de Acción

1. Hoy daré pasos de acción, por pequeños que sean, que me conduzcan hacia mi meta.
2. Hoy yo ....

Nunca te desesperes; pero si no puedes evitarlo, trabaja como un desesperado.

Edmund Burke

... y Visión

David W. Hertman, de Filadelfia, se quedó ciego a los ocho años de edad. Quería ser médico, pero cuando solicitó admisión en la Escuela de Medicina de la Universidad Temple, le dijeron que ninguna persona privada de visión había hecho nunca el curso.

David resolvió intentarlo. Se matriculó en la facultad en Temple e inmediatamente se le presentó un obstáculo que parecía insuperable: los libros de texto. No había libros de medicina en Braille, ni había habido nunca necesidad de ellos. Evidentemente, hacer textos en Braille para un solo estudiante no era factible desde el punto de vista económico. Entonces David apeló a la organización de Grabaciones para Ciegos y consiguió que le grabaran más de veinticinco textos completos para su uso personal. A la edad de veintisiete años David W. Hertman se graduó como médico, siendo el primer ciego que terminaba el curso en la Escuela de Medicina.

Ocurre con mucha frecuencia que nuestras metas son demasiado bajas, nuestro pensamiento muy negativo, nuestra *visión* muy limitada. ¿Qué busca usted realmente en la vida? ¿Es su meta o su ideal tan imposible como el de ese niño ciego de ocho años que quería llegar a ser médico... y lo fue?

Pasos de Acción

1. Hoy apartaré las limitaciones que me ha impuesto mi «pensamiento destructivo» y fijaré mi puntería más arriba.
2. Hoy yo ....

Mientras no ensayes, no sabes de cuánto eres capaz.

Henry James

... y Enfoque

Era uno de cuatro hermanos cuando murió su padre. La madre continuó haciendo el trabajo de su marido, que era repartir carbón, y además atendiendo a su propio empleo de hacer la limpieza de oficinas en el centro comercial, en Pittsburgh. Estaba resuelta a mantener unida la familia, y esa determinación se la pasó a su hijo Johnny.

En la escuela secundaria de St. Justin, en Pittsburgh, Johnny jugaba al fútbol, pero en la Universidad de Notre Dame no pudo ingresar en el equipo porque lo consideraron muy pequeño de cuerpo, de modo que siguió jugando con un equipo menos importante. Después de terminar sus estudios entrenó con los Steelers de Pittsburgh, pero al poco tiempo lo sacaron del equipo.

Trabajó en una obra de construcción y jugaba como aficionado a seis dólares por partido. Nunca olvidó su sueño de llegar a ser defensa en la Liga Nacional de Fútbol. Escribía cartas a todos los equipos de la liga con la sencilla solicitud: «Denme una oportunidad, una prueba».

Por fin se la dieron los Colts de Baltimore. Clasificó para el equipo y pronto llegó a defensa. Después de unas pocas temporadas tenía ya la reputación de ser el mejor defensa de la liga, y su determinación llevó a los Colts a un campeonato mundial. Después de batir muchas marcas ingresó en el Cuadro de Honor del Fútbol. Este persistente jugador de defensa se llama Johnny Unitas.

Yo no le puedo prometer a usted que llegará a ser un campeón mundial, pero sí le puedo prometer que será un campeón en la vida si sigue los mismos principios básicos que siguió Johnny Unitas.

Pasos de Acción

1. Hoy enfocaré mis energías en tareas específicas y persistiré en éstas hasta terminarlas.
2. Hoy yo ....

Ten fe en tí mismo, y lo que piensen los demás no importa.
Ralph Waldo Emerson

... y Seguimiento

Cualquiera que sea el blanco a que apuntemos, raro sería que lo acertáramos al primer intento. Los artilleros cuando disparan sus cañones se valen de observadores avanzados para ir rectificando la puntería. Los arqueros experimentados utilizan el primer tiro para juzgar la fuerza del viento y así afinan la puntería para los tiros siguientes.

En los negocios el éxito rara vez se obtiene con el primer esfuerzo. Las destrezas atléticas se adquiren practicando largo tiempo, después de muchas horas de trabajo. Los pianistas y violinistas que dan conciertos dedican horas incontables a los ejercicios y ensayos.

Como dice Steve Brown, de Atlanta, Georgia, «si una cosa vale la pena hacerla, vale la pena hacerla mal hasta que se aprenda a hacerla bien». Si a la primera intención todos pudiéramos ser hábiles cirujanos, campeones de golf o ganadores del Premio de la Academia, entonces serían mínimas las recompensas que ganan esas destrezas y realizaciones.

Es dudoso que usted acierte al blanco desde la primera vez que ensaya sus fuerzas. La clave está en la perseverancia y el valor frente a todos los descalabros iniciales. Utilice sus primeras tentativas para apreciar exactamente en qué punto se encuentra. Aprenda de sus errores y así serán buenas sus probabilidades de llegar al fin a dar en el blanco.

Pasos de Acción

1. Hoy volveré a un proyecto que tal vez abandoné antes de tiempo, y lo haré, aun cuando sea mal, hasta que lo pueda hacer bien. El proyecto es ....
2. Hoy yo ....

Mientras una persona vacila por sentirse inferior, otra está ocupadísima cometiendo errores y haciéndose superior.

Henry C. Link

... y Fracaso

En 1958, para costearse sus estudios universitarios, Frank y Dan Carney abrieron un salón de pizzas enfrente de la tienda de comestibles de la familia, en Wichita. Diecinueve años después, Frank Carney vendió por trescientos millones de dólares la cadena llamada Pizza Hut con tres mil cien salones de ventas.

El consejo que da Carney a los que se inician en los negocios parece un poco extraño: «Tiene que aprender a perder». Lo explica en esta forma: «Me he metido en unas cincuenta operaciones de negocios, de las cuales unas quince me han resultado bien. Esto me da un promedio aproximado de un treinta por ciento de éxitos. Pero es preciso estar siempre en el juego, y más importante aún es estar en el juego después de haber perdido. Uno nunca aprende cuando está ganando. Hay que aprender a perder».

Carney dice que la empresa Pizza Hut tuvo éxito porque él aprendió de sus equivocaciones. Cuando le fracasó un esfuerzo de expansión en Oklahoma City, comprendió la importancia de la ubicación y la decoración de los locales; cuando bajaron las ventas en Nueva York, introdujo las pizzas de corteza gruesa. Cuando los competidores regionales comenzaron a quitarle parte del mercado, introdujo las pizzas estilo Chicago.

Carney fracasó muchas veces, pero aprovechó bien los fracasos. Eso es pensar positivamente. Utilice sus fracasos como peldaños de ascenso hacia las metas de su vida, ¡y lo veré en la cima!

Pasos de Acción

1. Hoy saldré a la cancha cuantas veces pueda, recordando que no podré acertar al blanco sin correr el riesgo de perder.
2. Hoy yo ....

La energía y la perseverancia preparan al hombre para casi cualquier posición.

Theodore F. Merseles

... y Exito

Janet Lynn era la combinación perfecta de gracia y energía. A los quince años ganó el primero de sus cinco títulos en patinaje de figura para mujeres. En 1972 ganó una medalla de bronce en las Olimpiadas de Inverno en el Japón. En 1983 firmó un contrato por valor de 1,45 millones de dólares con la empresa Ice Follies, que hizo de ella la mujer atleta mejor pagada del mundo.

Desgraciadamente, empezó a padecer de una afección respiratoria que la obligó a abandonar el deporte a los veintidós años de edad. Hoy tiene veintinueve, ha superado sus problemas de salud y se empeña en volver a patinar. Cuando empezó de nuevo, después de unos pocos minutos sobre el hielo se sentía agotada y no podía intentar ni el más sencillo salto. Le parecía que no tenía músculos. Viéndose ante este problema, Janet inventó un riguroso programa de ejercicios que le permitieron ir mejorando poco a poco. Por fin pudo ejecutar saltos sencillos; después, otros gradualmente más altos y más complicados, que exigían mucho más.

Me complace mucho poder informar a mis lectores que Janet Lynn ha vuelto. Una vez más está patinando ante numerosos públicos. Ha firmado contratos para patinar como profesional en compañía de Jo Jo Starbuck y otras personalidades del patinaje.

Janet Lynn tenía muchas razones para darse por vencida, pero no se desanimó, pese a las dificultades. Su ejemplo conforma la observación tan común de que no *se paga* un precio por el éxito sino que *se goza* de los beneficios del éxito. Yo les recomiendo no desistir de buscar sus metas en la vida. Janet Lynn luchó y venció, y usted también puede hacerlo.

Pasos de Acción

1. Hoy perseveraré frente a la adversidad.
2. Hoy yo ....

No se puede subir la escala del éxito con las manos en los bolsillos.

... y Mejora

Hasta hace relativamente pocos años, eran los niños los que se sentaban en torno a la mesa familiar a hacer sus deberes escolares. Hoy mamá y papá también estudian. Hace diez años el promedio de edad de los estudiantes universitarios en los Estados Unidos era 19 años. Hoy es 30, porque son cada vez más los adultos que se matriculan como estudiantes de tiempo completo en cursos superiores.

Marian German, una abuela de cincuenta años, renunció hace poco a su empleo de secretaria para obtener un título en psicología. «Mis hijos ya son grandes —dice alegremente—. Estoy libre para ampliar mis horizontes».

Maureen Promitz, de treinta y cinco años y madre de familia, no sólo tiene un empleo de tiempo completo en un centro médico, ¡sino que también sigue cursos nocturnos! Le tiene echado el ojo a un puesto administrativo de alto nivel en el campo médico, y dice: «Quiero mejorar; quiero progresar».

Cada vez se ven más estudiantes ya maduros en los salones de clase. Habiendo aumentado constantemente la duración media de la vida humana, son mayores las probabilidades de que uno llegue a los ochenta y a los noventa. Usted puede hacer de esos últimos treinta o cuarenta años los mejores, preparándose para ellos. Recuerde que su futuro será exactamente lo que usted haga de él. Dentro de diez años, usted será diez años mayor que hoy. Lo que hay que preguntar es: ¿habrá progresado diez años?

Pasos de Acción

1. Hoy comenzaré ese importante proyecto que he venido aplazando.
2. Hoy yo ....

Mi interés está en el futuro, porque allí voy a pasar el resto de mi vida.

Charles F. Kettering

... y Realización

Escribió durante nueve años antes de que un editor aceptara uno de sus libros o una revista tomara uno de sus artículos; pero era George Bernard Shaw, y nunca se desanimó. Por eso llegó a ser uno de los escritores más grandes del mundo.

Si ustedes han leído algunos de mis libros anteriores o han escuchado mis grabaciones, sabrán que soy un entusiasta de la perseverencia. Siempre que hablo o escribo, recuerdo a mi auditorio la enorme importancia de perseverar. Me temo que en nuestra sociedad nos hemos acostumbrado mucho a lo instantáneo. Tenemos puré de patatas instantáneo, té y café instantáneos, pizza instantánea, y también empezamos a esperar el éxito instantáneo.

No es ése el caso. El que quiera triunfar en la vida, tiene que aprender a perseverar. ¿De qué manera? No se puede condensar fácilmente en una simple afirmación, pero de una cosa puede estar seguro, y es que tiene que definir su propósito. Sólo los que saben exactamente a dónde van y por qué quieren llegar allá, pueden seguir levantándose después de las caídas y ensayando otra vez. George Bernard Shaw tenía un propósito definido y por eso siguió luchando nueve años enteros antes de que lograra ver su obra publicada.

Pasos de Acción

1. Hoy buscaré las razones que tengo para hacer lo que hago preguntándome «¿Por qué?»
2. Hoy yo ....

Decida lo que quiere, decida cuánto está dispuesto a dar a cambio. Fije sus prioridades ¡y manos a la obra!

H. L. Hunt

... y Mediocridad

Un estudio reciente muestra que darse por vencido es un hábito adquirido. Se puede aprender a ser perseverante o constante, tan fácilmente como se aprende a darse por vencido.

Durante los últimos años, biólogos y psicólogos han estado realizando experimentos que confirman cuán poderosamente puede nuestra actitud mental afectar el resultado de nuestra vida. En la Univeridad de Johns Hopkins los investigadores han descubierto que animales de laboratorio pueden aprender a darse por vencidos. Si un ratoncito se mantiene en la mano con tanta firmeza que por más que se esfuerce no puede escapar, al fin abandonará la lucha contra lo imposible. Si después se le echa en un tanque de agua no hará ningún esfuerzo por nadar a la orilla. Ha aprendido a darse por vencido.

Aunque los seres humanos no somos ciertamente ratones, podemos escoger nuestros hábitos de vida. Mis amigos médicos, hablando de alguna persona que ha muerto, suelen decir: «No tenía nada por qué vivir», o «Sencillamente se dio por vencido».

Afortunadamente podemos hacer una elección optimista, de responsabilidad y esperanza. Podemos desarrollar el hábito de no darnos por vencidos. Podemos programar nuestra mente y nuestro corazón para que sigan siempre adelante, luchando contra la duda, el dolor y el miedo. En ese proceso podemos vencer obstáculos en apariencia insuperables y este libro está lleno de ejemplos de personas que así procedieron, precisamente. En realidad, uno de los principales mensajes que yo deseo transmitirle es: «Aguante, y lo veré en la cumbre».

Pasos de Acción

1. Hoy empezaré a adquirir el hábito de perseverancia, continuando todos los proyectos hasta el final.
2. Hoy yo ....

La perseverancia transforma el agua tibia de la mediocridad en el vapor del éxito.

... y Superar Dificultades

No existen situaciones desesperadas, sino más bien individuos que pierden la esperanza frente a esas situaciones. A los padres de Kevin Poland, cuando el niño nació, les dijeron que no viviría más de veinticuatro horas. Después les dijeron que no pasaría del primer año de vida. Ya siendo niño, Kevin Poland tenía mil razones para darse por vencido. Por fortuna ni en su vocabulario ni en el de sus padres existían estas palabras.

Hasta los doce años, Kevin estuvo en pañales. Usa unas varillas de acero inoxidable en la espalda que le permiten sentarse. Afortunadamente sus padres lo aman lo bastante para hacer lo que a él más le conviene, y así, en lugar de protegerlo en exceso y fomentar en él el espíritu de dependencia, le han ayudado enseñándole a ser independiente.

A medida que ha ido creciendo, Kevin no ha querido que nadie tenga que cuidar de él. Quiso conseguir un trabajo y valerse por sí mismo. Durante la mayor parte de sus diecisiete años de vida, se ha movido en silla de ruedas. Ahora va a hacer cosas más importantes. Hace poco fue aprobado en el examen para obtener su licencia de conducir un automóvil, una camioneta modelo 1979 especialmente adaptada para él. Esto significa que tendrá mayor libertad y más oportunidades de demostrar que estaban equivocados todos los que creyeron que su caso no tenía remedio.

Siempre es cierto que los ganadores jamás se dan por vencidos. Kevin Poland es indudablemente un ganador. Ese mismo espíritu, esa dedicación y esa voluntad, harán también de usted un ganador.

Pasos de Acción

1. Hoy pensaré en Kevin Poland cuando se me presenten situaciones difíciles.
2. Hoy yo ....

La vida no ofrece un placer mayor que el de vencer dificultades, pasando de un paso del éxito a otro, formando nuevos deseos y viéndolos satisfechos.

Dr. Samuel Johnson

... y Ejercicio

Muchas veces me preguntan cómo me queda tiempo para correr, en vista de mis continuos viajes y mi trabajo de escribir. La respuesta es sencilla. Tengo tanto que hacer, que no tendría tiempo de *no correr.* Trotando veinticinco minutos al día, cinco días a la semana, mi nivel de energía ha aumentado en forma tan dramática, que tengo por lo menos dos horas de productividad añadida cada día, como resultado de este ejercicio.

Estoy tan entusiasmado con mis múltiples compromisos que quiero ser capaz de hacer un esfuerzo máximo durante el mayor período de tiempo. Para mí, es un buen negocio invertir veinticinco minutos en correr y ganar en cambio dos horas. Además, hay otros beneficios. De acuerdo con un estudio realizado en el curso de cuatro años en la Universidad Purdue, las cuentas de médicos y medicinas para las personas que corrían fueron mucho más bajas que para las que no hacían ejercicio. No sólo eso, sino que, según el estudio citado, los hombres y mujeres que hacían ejercicio revelaban estabilidad emocional y menos tensiones.

Esto en realidad se reduce al hecho de que uno economiza tiempo y dinero si corre o hace otro ejercicio. Agréguese a esto que la creatividad del individuo siempre es más alta después del ejercicio, y se habrá redondeado un argumento irrebatible en favor de la actividad física, ¿no es verdad?

Pasos de Acción

1. Hoy entraré en actividad haciendo un ejercicio de mi elección.
2. Hoy yo ....

El ejercicio es para el cuerpo lo que la oración para el alma

... y el Músico

Hace muchos años Henry Armstrong, joven pianista y compositor de Boston, escribió una melodía que le había venido dando vueltas en la cabeza desde hacía tiempo. Era muy linda y tenía mucho ritmo. Durante varios años había mandado la canción a los editores de música de Nueva York, pero todos la habían rechazado. Contrató a Richard Gerard para que le escribiera la letra, y éste compuso «Tú eres la flor de mi corazón, dulce Rosalía», pero a pesar de eso, Armstrong no encontraba un editor que le publicara su canción.

Un día que andaban juntos por la calle, Armstrong y Gerard vieron un cartel en que se anunciaba un concierto de Adelina Patti, popular cantante italiana. Impulsivamente resolvieron ponerle a su canción el nombre de ella, pero como de todos modos el título resultaba un poco largo, lo redujeron a la simple expresión «dulce Adelina». Y con este nombre la canción de Armstrong llegó a ser la balada más famosa y popular de su época.

La moraleja podría ser que con una modificación pequeña se puede lograr una diferencia enorme, pero yo creo que en esta anécdota hay otro mensaje real para nosotros: «Persista en su propósito, piense constantemente en su asunto, y *crea* siempre en su ideal».

Pasos de Acción

1. Hoy persistiré en mi propósito y tendré fe en mi ideal.
2. Hoy yo ....

El genio no es más que el poder de hacer esfuerzos continuos.

... y el Ejecutivo

En ninguno de mis libros, ni de mis conferencias, ni de mis grabaciones me habrán oído ustedes decir que la vida es fácil. Nunca lo he dicho porque no lo creo. Creo que la vida es dura. Sin embargo, creo que si somos duros con nosotros mismos, la vida será mucho más fácil. Le diré esto: pienso que la vida es divertida, emocionante, llena de recompensas.

Un estudio llevado a cabo por el Instituto de Opinión de Inversionistas para C. Stewart Associates, que es una empresa de investigación de ejecutivos de Nueva York, revela un hecho muy interesante que apoya estas afirmaciones. La investigación mostró que, entre los jefes ejecutivos de ciento cincuenta de las principales compañías norteamericanas, más de dos terceras partes incluyeron la autodisciplina en los perfiles del tipo de sucesores que escogerían. Ochenta y nueve por ciento consideraron la autodisciplina muy importante. En efecto, la capacidad y voluntad de imponerse uno mismo la disciplina resultó ser la cualidad más importante y la mejor calificada de cuantas buscaban.

Yo creo firmemente que si somos duros con nosotros mismos, la vida será más fácil para nosotros. Siga esta máxima, y las puertas de la oportunidad se le abrirán de par en par y con mayor frecuencia.

Pasos de Acción

1. Hoy consideraré la autodisciplina como la condición más importante de las que estoy buscando.
2. Hoy yo ....

El que reina dentro de sí mismo y domina las pasiones, los deseos y los temores, es más que un rey.

... y Esfuerzo a Medias

Cuando yo era niño, pasaba los calurosos días del verano con mis amigos, nadando en un riachuelo cercano, al que nos arrojábamos desde un sicómoro que crecía en la orilla. Algunos de mis compañeros desarrollaron un estilo de zambullida tan perfecto que cualquiera podría envidiárselo. Eran capaces de dar una voltereta completa en el aire y caer al agua precisamente de cabeza. En estas zambullidas era, o todo o nada. No podía haber una decisión a medias porque la menor vacilación significaba un doloroso planchazo.

Este principio es verdadero casi en todas las áreas de la vida. Es imposible triunfar si nuestra decisión es a medias, porque entonces, cuando la situación se ponga dura, nos faltará aquel esfuerzo extra que es indispensable para el éxito. Cuando uno hace las cosas con desánimo, o sólo en parte, o les da muchas vueltas, o apenas las toca superficialmente, el resultado inevitable es un doloroso planchazo.

En el juego del éxito y la felicidad, es todo o nada. El compromiso total es la clave del éxito. Así pues, comprométase a fondo. La diferencia entre el éxito y el fracaso suele ser la diferencia entre el esfuerzo a medias y el compromiso total.

Pasos de Acción

1. Hoy reconoceré que el compromiso es la clave principal para alcanzar mis metas.
2. Hoy yo ....

No se puede escapar de la responsabilidad del mañana eludiéndola hoy.

Abraham Lincoln

... y las Cosas Pequeñas

En una entrevista que le hicieron algunos años después de su jubilación, le preguntaron a Ty Cobb, el gran beisbolista del club de Detroit, por qué en su vida profesional siempre se había mostrado tan nervioso cada vez que pasaba a primera base. Contestó indignado que él nunca había estado nervioso en un juego, pero el reportero no se contentó con esta negativa e inistió con buen humor: «Vamos, señor Cobb, siempre que yo le veía a usted en primera base, usted no hacía más que patear el cojín hasta que el lanzador estaba listo para lanzar la pelota. Si eso no era estar nervioso ¿qué era?».

Entonces Ty Cobb se rió y le dijo: «Mi estimado amigo, permítame que le explique una cosa que usted no sabe. Ciertamente, yo jamás estuve nervioso en primera base, pero desde muy temprano en mi carrera descubrí que dándole unas cuantas pataditas al cojín, era posible moverlo hasta dos pulgadas en dirección a la segunda base, y esto me daba una regular ventaja cuando trataba de robar la segunda base».

Sabido esto, ¿a quién le puede sorprender que Ty Cobb monopolizara el récord de bases robadas durante casi medio siglo, hasta que apareció Lou Brock y batió el récord? Sí, las cosas pequeñas son las que cambian los resultados, así en el béisbol como en la vida corriente.

Pasos de Acción

1. Hoy haré todo lo posible para aprovechar todas las oportunidades que se me presenten.
2. Hoy yo ....

La suerte es el talento de reconocer una oportunidad y la capacidad de aprovecharla.

... y Jubilación

La mitad de los trabajadores que llegan a la edad de la jubilación siguen en su oficio, según revela un estudio de varias industrias importantes. Hay para ello muchas y diversas razones, entre ellas el hecho de que posiblemente los gerentes se dan cuenta del valor que tienen para la compañía la experiencia y los conocimientos. Según el libro de Edwin Miller titulado *Management of Human Resources* (La administración de los recursos humanos), la actividad creativa es más baja en el grupo entre las edades de veintiuno a cincuenta años. En el grupo de los cincuenta para arriba, la creatividad empieza a aumentar —no a disminuir como algunos podrían suponer.

Por ejemplo, entre el personal de ventas un empleado no llega a dar su rendimiento máximo hasta los cincuenta y cinco años. Los de mayor edad son casi siempre los más fiables y competentes, debido a sus años de experiencia en el trato con la gente. Los gerentes deben entender el valor de los trabajadores de más edad. Si usted se encuentra en el tramo de edad de los cincuenta en adelante, también debe comprender que tiene por delante sus años de mayor creatividad.

Aunque usted se vea obligado a jubilarse de un oficio, tiene a su favor mucha sabiduría y experiencia que se necesitan en el mercado. Persista, amigo. ¡Lo mejor está por venir!

Pasos de Acción

1. Hoy recordaré que, a pesar de mi edad, lo mejor está por venir.
2. Hoy yo ....

La edad no debe apelar a la cirugía facial, sino enseñar al mundo las arrugas como los surcos de la experiencia y las líneas firmes del carácter.

Ralph Barton Perry

... y la Ventaja del Ganador

Esto de «la ventaja del ganador» suena como un buen título de un libro, y eso es, precisamente: *The Winner's Edge,* por Bob Oates, Jr., en el cual el autor ha recopilado comentarios y reflexiones sobre la misteriosa diferencia que existe entre ganar y perder.

O. J. Simpson dice: «Se necesita carácter para ser ganador, y el carácter no es más que conocimiento de sí mismo». Dan Dierdof, el futbolista profesional, está de acuerdo: «Primero tengo que conocerme yo. No me preocupo por el adversario porque sé que mi técnica es correcta, no me pueden derrotar».

Buena actitud para cualquier negocio ¿no le parece? Roger Staubach cree que la ventaja es la confianza nacida de la preparación. «La confianza en los dos últimos minutos de un partido de desempate proviene de días, semanas, meses y hasta años de muy arduo trabajo».

¿Verdad que es interesante cómo estos principios del ganador se pueden aplicar tan fácilmente a nuestros propios asuntos y a nuestra vida personal? Apuesto a que usted podrá aplicar estos principios a su vida. Así usted también tendrá la ventaja del ganador; ¡y será un ganador aún más grande!

Pasos de Acción

1. Hoy me conoceré primero a mí mismo y me concentraré en mi técnica sabiendo muy bien que si me cuido a mí mismo no me podrán derrotar.
2. Hoy yo ....

La medida del verdadero carácter de un hombre es lo que él haría si supiera que jamás sería descubierto.

... y el Blanco

La perseverancia es un ingrediente clave para el éxito en cualquier actividad, ya se trate de las ventas o el fútbol, o el desarrollo de un matrimonio feliz. El vendedor tiene que persistir en su técnica de ventas, y el equipo de fútbol que triunfa ataca sin descanso las debilidades de las defensas del contrario.

Si usted trabaja actualmente en un proyecto que parece empantanado o detenido en un determinado nivel, le recomiendo que siga el consejo del novelista francés Stendhal: «Si usted quiere alcanzar su meta, tiene que seguir disparando al blanco».

Delimite su objetivo, especifique su blanco, atienda a los detalles, y siga disparando. Su mejor probabilidad de triunfo está en la persecución infatigable de su meta. Apunte al blanco y siga disparando. Aun en aquellos momentos en que las cosas parecen haberse parado, o cuando los obstáculos parecen insuperables, usted debe tener el valor y la confianza de seguir luchando.

Pasos de Acción

1. Hoy identificaré mi blanco y seguiré disparándole.
2. Hoy yo ....

El fracaso suele ser la línea de menor persistencia.

... y las Ventas

Todos somos vendedores. Algunos lo somos en el sentido recto de la palabra: vendemos productos, y eso significa que hacemos visitas. Pero en realidad, todos vendemos algo. Tal vez usted no venda un producto específico, pero constantemente está tratando de «vender» sus ideas o sus opiniones.

¿Sabía usted que casi todos los vendedores hacen sus mejores ventas en la primera o la segunda visita a un cliente? Sólo un siete por ciento de las ventas se hacen en la tercera visita. La conclusión obvia es que no se debe dedicar demasiado tiempo a las terceras visitas, sino concentrarse en la primera y la segunda.

Cuando usted trata de «venderse» a sí mismo a un gerente para que le dé un empleo, debe recordar tres cosas. En primer lugar, prepárese de antemano. Entérese lo mejor que pueda sobre su presunto patrón y sus negocios. En segundo lugar, haga algunas preguntas, con el fin de llevar a su interlocutor a que hable y así le dé a usted la oportunidad de descubrir qué es lo que a él más le interesa y de qué forma puede usted servirle mejor. En tercer lugar, presente sus ideas con entusiasmo.

Piense un momento qué es el entusiasmo. Significa: «Yo estoy convencido de lo que estoy diciendo». Si usted está seguro de que es capaz de desempeñar el puesto a que aspira, le apuesto a que podrá convencer al patrón.

Pasos de Acción

1. Hoy recordaré que si «estoy convencido» tendré entusiasmo. Esto me ayudará a persuadir a quien quiera que sea.
2. Hoy yo ....

Aunque un hombre lo pierda todo, si conserva el entusiasmo, volverá a recuperarse y triunfará.

H. W. Arnold

Este libro se terminó de imprimir
el día 13 de noviembre en Talleres
Editoriales Cometa, S. A.
de Zaragoza.